MAGDA,

PAWEŁ

I TY

KRYSTYNA KLENIEWSKA-KOWALISZYN

MAGDA, PAWEŁ I TY

ilustrował
Jarosław Żukowski

Siedmioróg

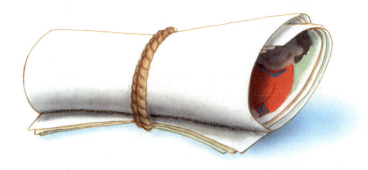

LEKTURA DLA KLASY II SZKOŁY PODSTAWOWEJ

ISBN 83-7254-064-0

Wydawnictwo Siedmioróg
ul. Świątnicka 7, 52-018 Wrocław
Księgarnia wysyłkowa Wydawnictwa Siedmioróg
WWW.SIEDMIOROG.PL
Wrocław 2001

Zapraszamy!

Przedstawiam Ci nowych przyjaciół. Spójrz, są tutaj Magda i Paweł. Opowiedzą oni o sobie i o swoich wakacjach. Obok nich dorysuj siebie. Ty też będziesz tu pisać, rysować i rozwiązywać łamigłówki. Zabierzesz tę wakacyjną książkę ze sobą wszędzie, dokąd się udasz, a ona Ci się odwdzięczy.

Magda opowiada o sobie

Mam dziewięć lat, bo właśnie skończyłam osiem. (Mama się śmieje i mówi, że teraz sobie lat dodaję, a potem będę odejmować.) Jaka jestem?

W domu nazywają mnie Psotnicą, Figlarką i Męczyduszą, a czasem Rodzinnym Budzikiem, bo rano pierwsza robię pobudkę. Tylko wieczorem, gdy leżę w łóżku, mama gładzi mnie po głowie i mówi: „Córeczko, Magdiczku...", a ja się uśmiecham niby przez sen, ale właściwie to dlatego, że jest mi bardzo dobrze.

Włosy mam trochę ciemniejsze od jasnych, a oczy trochę niebieskie, trochę szare...

Paweł mi dokucza, że wciąż zadzieram nosa. Ale to nieprawda! Ja mam już taki zadarty nos na zawsze. Babcia mnie pociesza. Mówi, że to całkiem sympatyczny nosek.

W szkole nazywają mnie Śrubką i Śmieszką. Do śmiechu nie trzeba mnie namawiać i — niestety — wciąż się kręcę. Po wakacjach mam zamiar się poprawić, przecież już nie będę pierwszakiem! Ciekawi mnie matematyka, a także rebusy i zagadki.

Najlepiej lubię bawić się z psem Bejem. A także w przebieranie i teatr.

Lubię lody i poziomki, a moją ukochaną książką jest *Pippi Langstrump*, czyli Fizia Pończoszanka. Lubię też *Dzieci z Bullerbyn* oraz moją lalkę Flercię, dla której wciąż wymyślam nowe ubrania.

Nie jest to takie szczęście być starszym bratem! Często muszę Magdzie ustępować, chociaż ja mam zawsze rację. (Mama wtedy mówi, że prawda leży pośrodku.)

W domu mówią do mnie: synku, zuchu, a czasem: włóczykiju, urwisie... Najlepiej lubię te chwile, gdy wszyscy są w domu. Jest cichutko, bo każdy pilnie robi swoje... a potem kolacja razem... Do stołu nakrywamy z Magdą w 10 sekund. (Sprawdziłem.) A przy stole, żeby nie wiem jakie były kłopoty, Magdulińska wszystkich rozśmieszy.

Koledzy też na pewno mnie lubią, bo wciąż wołają pod oknem, żebym wyszedł na podwórze. Tata powiada, że dobrze wychowany człowiek nie krzyczy pod oknem, tylko dzwoni do drzwi i mówi, o co mu chodzi.

Kiedyś Arek nie mógł się mnie dowołać i zadzwonił. Babcia na to: „Oho, zaraz mu dam za te wrzaski!" i szybko drzwi otwiera. A tu Arek stoi w skarpetkach na wycieraczce, buty w ręku, i cichutko mówi: „Czy ja mogę do Pawełka?"

Babcia spojrzała na te nogi i mówi z uśmiechem: „Ależ proszę bardzo". I tak się mu upiekło!

Ojej! Ale to miało być o mnie. W szkole lubię pisać wypracowania na dowolne tematy i układać rymowanki. Pani to mnie nazywa „rymarz klasowy". Jestem klasowym kronikarzem.

W co najbardziej lubię się bawić? — W Indian! Podchody, bohaterskie czyny... Jeździć na wrotkach, zimą na nartach. Ostatnio lubię też gry komputerowe... Ale trzeba mieć refleks!

A z potraw? Lubię kotlety i budyń z sokiem. Z tym jedzeniem to jest tak: ledwie wejdę do domu i pociągnę nosem, już wiem, co jest na obiad, czy babcia piekła ciasto i gdzie ono stoi. Dlatego babcia się śmieje i mówi, że mam węch jak pies myśliwski.

A teraz przedstaw się Ty

Nazywam się . *adam Zięba* . . . .
Mam . *8* . lat. Mamusia nazywa mnie . *asnabel* . . . .,
a tata *grubasek* . . . . babcia
Koledzy i koleżanki wołają: . *adam głba tdi* . . . . . .
Lubię bawić się w . *berka* . . . .
często razem z . *Paulinką* . . . .
Najchętniej czytam książki o . *Harrym Potterze* . . . .
Najciekawsza książka, moim zdaniem, to . *Harry Potter* . . . .
Moje ulubione potrawy: *spageti* . . . .

A w tej pięknej ramce narysuj siebie
razem z twoją ulubioną zabawką.

To mój wakacyjny portret.
Tak wyglądam,
gdy mi wesoło.

Wakacje za drzwiami

— Ale ciemno... — myśli Magda, patrząc w szeroko otwarte okno. — Rodzicom się zdaje, że ja już śpię. Owszem, leżę grzecznie, ale nie mam najmniejszego zamiaru zasnąć... Jutro wakacje. Ciekawe, co mnie czeka... najpierw na wsi u babci, potem nad jeziorem u wujka... Ale ten Paweł chrapie... Zupełnie jakby nic go to nie obchodziło, że jutro jedzie na kolonie... O, na niebie są gwiazdy...

Nagle, co to?! U góry okna wiszą dwa rude warkoczyki. A oto i cała roześmiana, piegowata buzia...

— Pippi, spadniesz! — krzyczy Magda przerażona. — Dach strasznie stromy!

— Nie bój się! Zapomniałaś? Przecież wysmarowałam się wspaniałym klejem Konrada. Patrz, mogę chodzić po suficie jak mucha. No, daj rękę. Razem zejdziemy po tej najbliższej topoli na drogę. Tam czeka mój koń.

Magdzie nie trzeba dwa razy powtarzać. Jak sprężyna wyskoczyła z pościeli i już siedzi na parapecie.

— Pippi, jestem w piżamie...

— Nic nie szkodzi, w nocy jest chłodno. Uważaj, skaczemy na drzewo...

Dziewczynki jak koty zsunęły się z drzewa wprost na konia, który usłużnie podstawił grzbiet.

Po chwili były już nad jeziorem. Przy brzegu kołysała się na wodzie duża beczka. Wskoczyły do środka i zręcznie zaczęły wiosłować rękami.

— Jaka ciepła, miękka woda — dziwi się Magda. — Ale co to? Jakby ktoś szare motki wełny rzucił na wodę... O, jeden „motek" wyciąga łeb spod skrzydła... To dzikie kaczki śpią na wodzie?!

Jedna zakwakała. Kilka się poderwało i przeniosło dalej. O, znów siadają i szykują się do snu...

Tymczasem beczka płynie coraz prędzej, jakby popychał ją niewidzialny motor. Wprawia to dziewczynki w doskonały humor.

— Juhuuu, juhuuu — pokrzykują.

— Pippi, wolniej! Tu jest pomost!

— Co mi tam pomost! — śmieje się Pippi.

— Rozbijemy się! — wrzasnęła Magda.

W tym momencie rozległ się huk i... Magda otworzyła oczy. Rozgląda się... Ech, to tylko stuknęło okno na wietrze...

Nagle zrywa się na równe nogi.

— Paweł, wstawaj! — woła, ciągnąc róg koca. — Zapomniałeś, że jedziesz na kolonie?

Paweł otworzył jedno oko i czując zagrożenie owinął się szczelniej.

— Nie rób z siebie naleśnika, i tak ci to nie pomoże!

Ale oto w drzwiach staje mama.

— O, widzę, że już działa nasz rodzinny budzik!

— Och, mamusiu — wzdycha Magda. — Ja już dzisiaj w nocy miałam taką cudowną wakacyjną przygodę. Szkoda, że we śnie...

— Może lepiej, że tylko we śnie!?

— Jejku, jak można mieć spokojne sny, gdy wakacje za drzwiami?!

Uwaga! Uwaga!
Oto przestrogi wakacyjne. Może przydadzą się Tobie.
Chcesz spokojne życie wieść — zapamiętaj przestróg sześć.
Uwaga! Plątanina sylabowa — ważne wiadomości chowa.
Kto wesołą chce mieć minę, niech rozplącze plątaninę.

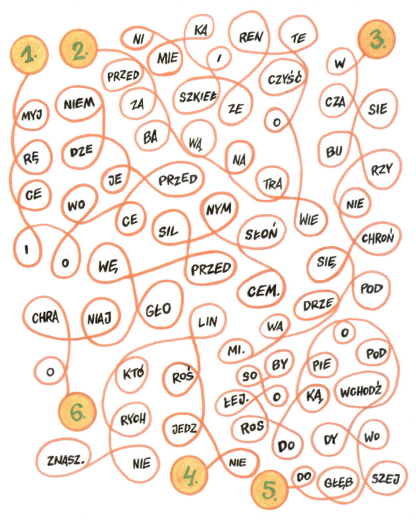

Podczas wakacji ubieracie się sami. Czy te dzieci dobrze się ubrały?

W domu mamusia zawsze mówi, jaka jest pogoda i co mamy na siebie włożyć. Podczas wakacji sami dobieramy strój do pogody, do zajęć i zabaw, jakie nas czekają. Tak wyglądamy, gdy idziemy się kąpać i plażować.

A tak ubieramy się na całodzienną wędrówkę.

Coś nietrudnego — tylko dla Ciebie!

Czy już wiesz, jak się ubrać w różnych okolicznościach?
Udowodnij!
Gdy pada deszcz, kładę . . . .
(nę — pe — le — ry)
i . . . .
(lo — sze — ka)
Gdy jest zimno, wkładam . . . .,
(ter — swe)
. . . . i . . . .
(dnie — spo)   (tki — pe — skar)
Gdy wieje wiatr, ubieram się w . . . .
(kę — wia — trów)
z . . . .
(rem — ptu — ka)
A gdy jest upał, chodzę . . . ., w samych
(so — bo)
. . . .
(kach — lów — pie — ką)

Przygotowania Pawła

Paweł od dawna naradzał się z rodzicami, co zabrać na kolonie. Chodził z pomiętą kartką, ciągle coś na niej kreślił, dopisywał. Wreszcie, dumny jak paw, pokazał Magdzie taki spis:

UBRANIA:
- KURTKA NIEPRZEMAKALNA
- CZAPKA
- SWETRY — 2
- SPODENKI — 2
- SPODNIE — 1
- DRES — 1
- BLUZKI — 6
- MAJTKI — 4
- KĄPIELÓWKI — 2
- SKARPETKI — 5 PAR
  (1 WEŁNIANE)
- PIŻAMA — 1
- ADIDASY — 1
- TENISÓWKI — 1
- KALOSZE — 1
- KAPCIE — 1

PRZYBORY DO MYCIA:
- MYDŁO
- SZCZOTKA DO RĄK
- SZCZOTKA I PASTA DO ZĘBÓW
- GRZEBIEŃ
- RĘCZNIKI — 2
- ŚCIERKA

PRZYBORY DO PISANIA:
- DŁUGOPIS • OŁÓWEK
- MASZYNA DO PISANIA
- PAPIER LISTOWY
- KOPERTY • ZNACZKI

TO SIĘ TEŻ PRZYDA:
- CHLEBAK • LORNETKA NA SZYJĘ • LATARKA
- PIENIĄDZE • LEGITYMACJA SZKOLNA
- KARTA PŁYWACKA • OLEJEK DO OPALANIA
- IGŁA I NICI • NARTY • CHUSTKI DO NOSA

Dzięcioł

Nasza kolonia znajduje się na skraju małego podhalańskiego miasteczka. Jest tu zielono i czysto. Od razu polubiliśmy kolonijny budynek pokryty wesołą, czerwoną dachówką.

Zaraz po przyjeździe układaliśmy swoje rzeczy.

— Wszystko składam zawsze w kostkę — mówię do sąsiada. — Tak nauczył mnie tata.

— Cha, cha, w kostkę — powtórzył nieznajomy chłopak. — Kostki to ja najchętniej bym poogryzał...

— Już zgłodniałeś? To mi zostało z podróży — podaję mu dwa naleśniki z mięsem.

— Bycze, kacze, indycze — chwali właściciel sąsiedniego łóżka i opycha się bez ceremonii.

Nie podobało się to Markowi. Przełknął ślinę i pyta:

— Co się mówi, gdy ktoś poczęstuje? No... Dzię...

— Dzięcioł! — palnął chłopak bez namysłu.

Wszyscy gruchnęliśmy śmiechem. Jest dowcipny — pomyślałem. — Będzie klawy kolega.

Jasnowłosy Przemek został Dzięciołem już na cały czas kolonii. A do tego — tak wyszło — także moim przyjacielem.

DZIĘCIOŁ!

Kolonijne opowieści Pawła
CZARNY dreszczowiec

Późno. Leżymy w łóżkach. Przez okna nie pada ani jeden promyk księżyca.

Nagle przerywam ciszę, mówiąc głosem spikerki telewizyjnej:

— A teraz zapraszam dzieciaczki na dobranockę. Opowiem śliczną bajeczkę.

I zaczynam cichym ponurym głosem:

— W czarnym, czarnym lesie stała czarna, czarna chata. A w tej czarnej, czarnej chacie była czarna, czarna skrzynia. A w tej czarnej, czarnej skrzyni siedział czarny, czarny wilk...

Przerywam na chwilę... Cisza. Chłopaki wstrzymują oddech... Co dalej? Tylko jeden Dzięcioł śpi, pochrapując.

— A w tym czarnym, czarnym wilku biło czarne, czarne serce!!!

Słowo: serce — wrzasnąłem z całej siły. Wszystkie łóżka zaskrzypiały. Dzięcioł zerwał się na równe nogi. Ja — w śmiech! Ale śmiałem się krótko.

Weszła pani i zabrała mnie na dół do kancelarii.

— Nie chce ci się spać, przeszkadzasz kolegom... Oto długopis i kartka. Przepisz listę dyżurnych na ten tydzień. Tylko ładnie!

Jęknąłem. Ja i ładne pismo!

NARESZCIE NA WSI

Słoneczny ranek. Magda zrywa się z łóżka i szeroko otwiera okno. Ale ruch na tym podwórzu! Ptactwo biega, dziobie, gdacze...

Tylko kotu się nie spieszy. Ostrożnie idzie po płocie. Przystanął. Wypręzył grzbiet, potem wyciągnął szyję i...

— Kukurykuuuuuuuu! — zabrzmiało donośnie.

Magda roześmiała się. — Zaczarowane podwórko! Jeśli koty tu pieją, to koguty miauczą. Wróble ryczą, a krowy ćwierkają. Pies gęga, a gęsi szczekają. Dobrze, że zwierzęta nie wiedzą, jakie mi głupstwa do głowy przychodzą. Bej to nawet mógłby się obrazić za to gęganie...O, a tu zza płotu kogut wychodzi... i wydało się wszystko.

— Ale na przykład w kosmosie mogą mieszkać zupełnie inne zwierzęta. Mogą wydawać inne głosy... — Dziewczynka oparła łokcie na parapecie i zamyśliła się.

Nagle chwyciła kartkę papieru i zaczęła rysować jakieś dziwne zwierzę, ale zawołała ją babcia. Może ty je dokończysz?

Apacze

— Chłopaki! Wszystkie grupy mają swoje nazwy, a my?

— Jejku, dopiero trzeci dzień kolonii, po co zaraz taki szum — mruknął Dzięcioł.

— Dziewczyny to sobie wymyśliły nazwy! Posłuchajcie tylko: Szarotki, Kozice, Górskie Nimfy, Pszczółki Maje... — zaśpiewał Krzysiek, strojąc wariackie miny.

— Chłopcy mają nie lepsze: najmłodsi to Białe Misie, a starsi Skalne Orły. Tylko my średniaki-tępaki... nic!

— A grupa pana Zbyszka, też średnia, a nazwę mają — Teriery. Chociaż to psy, ale bardzo bystre.

— Mam myśl — zawołał Florek — Średniaki-Ślimaki, bo one nigdy się nie spieszą.

Wybuchnęliśmy śmiechem, ale jakoś nieszczerze. Ostatecznie grupa też powinna mieć swoją ambicję.

— Może by tak coś indiańskiego? W sali to stale o Indianach...

— Apacze! — wrzasnął Krzysiek.

To był strzał w dziesiątkę, w sam środek tarczy! Nazwą byliśmy zachwyceni. Dzielne i szlachetne plemię wojowników — to my!

Od tej pory, jak nas było czternastu, oszaleliśmy na punkcie Indian. Już nie chodziliśmy, ale „sunęliśmy bezszelestnie trop w trop". Na wycieczkę nie braliśmy herbaty z dzbanka, ale „czerpaliśmy wodę ze źródła". Zajadle tropiliśmy wszystkie ptasie pióra, choćby najmniejsze... Krzysiek to nawet wypatrzył, jak gospodyni skubała na podwórzu koguta, i przyniósł cały pęk wspaniałych piór.

Ale będą pióropusze!

Od wczoraj jestem szczęśliwy, bo to ja pierwszy mam indiański przydomek! Dwa razy rozpoznałem lecące ptaki. Jedyny z grupy! Raz dzikie kaczki, a raz stadko szpaków. Aż się pani zdziwiła. A chłopaki zaraz — Sokole Oko. I teraz mówią do mnie: Sokole Oko — pożycz, Sokole Oko — wymyśl... Prawda, że brzmi to wspaniale?!

CZY WYGRAŁY DZIEWCZYNKI ?!

To pytanie zadaję sobie jeszcze dziś. A było tak.

Pada. Błoto. Siedzimy pod dachem wielkiej werandy. Śpiewamy. Jedną piosenkę my, chłopaki, jedną — dziewczynki. I tak na zmianę. Przegra ta grupa, której zbraknie piosenek.

Już, już widać, że naszym przeciwniczkom brak pomysłu. A my?

Jak nie hukniemy po góralsku:

NIE LIJ, DESCU, NIE LIJ, BO CIE TU NIE TRZEBA!!...

Śpiewamy jak najgłośniej. Jesteśmy wściekli, że nie możemy grać w piłkę ani w kometkę. A niedługo zawody. Pani zatyka uszy i śmiesznie się krzywi. Jakby piła ocet.

Nagle jedna z dziewczynek (taka śmiejąca się, z jasnymi warkoczykami) — powiedziała coś pani do ucha i wybiegła. Po chwili wraca z fletem. Wszyscy milkniemy. Flet na kolonii?!

Jasnowłosa gra. Jedną piosenkę, drugą... Pięknie. To fakt!

— Dziewczynki wygrały — mówi pani. — Dzięki Agacie. Pomyślała o tym, o czym żaden z was nie pomyślał.

Już mieliśmy się spierać, ale wyjrzało słońce. Pobiegliśmy nad potok zobaczyć, czy deszcz nie uszkodził naszego basenu.

Dzisiaj jest pochmurno i pada deszcz. Magda całe popołudnie coś pisze, rysuje, uśmiecha się przy tym do siebie. W zimie bawiła się z bratem w rebusy i oto skutki:

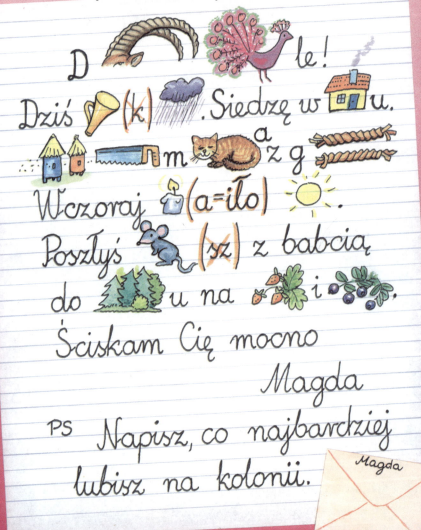

Podchody

— Jaką zabawę najbardziej lubicie? — zapytała pani Helena przy śniadaniu.

— Podchody, podchody! — krzyknęli Apacze jak jeden mąż.

— Podchody, podchody — zabrzmiały jak echo głosy Terierów.

Wiadomo, Indianie to sławni tropiciele, a teriery to myśliwskie psy, mają we krwi tropienie zwierzyny! „Oj, wyrównane będą siły" — myśli wychowawczyni, patrząc na ożywione twarze.

— My wychodzimy pierwsi i znaczymy drogę, wy odczekacie trzy kwadranse, a potem ruszycie naszym tropem. Cel — gajówka.

— Zgoda! — powiedział pan Zbyszek.

Apacze zabrali kredę, trochę kolorowej krepiny ze starej dekoracji, parę kartek na listy i długopis, pani Helenka torebkę cukierków jako „skarb" i na wszelki wypadek — sznurek.

— Z budynku wyjdźmy w rozsypce dla zamaskowania kierunku, a pierwsze strzałki niech wskazują trzy strony świata. Aby odgadnąć, w którym kierunku poszliśmy, będą musieli się pogłowić.

Taką myśl podsunął Biały Lis. Wszystkim się to spodobało.

Chłopcy spotkali się dopiero za zakrętem ulicy, czyli w miejscu niewidocznym dla Terierów.

— Brawo — pochwaliła pani.

Apacze rysowali najpierw strzałki na płytach chodnika, parkanach, przydrożnych kamieniach i drzewach, starając się, aby to oznakowanie nie było zbyt gęste, a więc za łatwe. Zatrzymali się dopiero w polu przy dużym kamieniu.

— Tu położymy pierwszy list — zaproponował Dzięcioł.

— Napiszcie w liście coś takiego, aby Teriery musieli się nieco dłużej zatrzymać. Potrzebny nam jest czas do ukrycia się za drzewami w lesie — doradziła pani Helenka.

Apacze zamyślili się na chwilę, a potem posypały się projekty:

— Niech zrobią 100 przysiadów, 50 pompek. Niech powtórzą całą tabliczkę mnożenia, a potem odpoczną przez 15 minut.

— Powoli, powoli — roześmiała się pani. — Postawcie się w ich położeniu! No, Biały Lisie, zrobisz sto przysiadów?

Po dyskusji pod znakiem listu wyrysowanym na kamieniu Apacze położyli kartkę następującej treści:

LIST DO TERIERÓW!
Zróbcie **15** przysiadów i **15** skłonów. Powtórzcie tabliczkę mnożenia na **7** i odpocznijcie **10** min. Potem możecie iść dalej. **APACZE**

Apacze maszerowali pospiesznie. Odetchnęli dopiero wówczas, gdy znaleźli się w lesie. W cieniu drzew i miłym chłodzie można się dobrze ukryć i mniej zmęczyć — pomyślał ten i ów.

Ale pojawiła się nowa trudność! Na chropowatej korze drzew strzałki były prawie niewidoczne. Teraz przydała się kolorowa bibułka. Chłopcy co pewien czas wieszali na gałązkach małe kawałki kolorowej krepiny i tak znaczyli drogę.

Drugi list ukryli pod kępą mchu, na której położyli kamień ze znakiem listu. Zadanie brzmiało:

— Ale ich nabierzemy! — cieszą się. — A może oni wiedzą o tym, że kukułka nie ściele gniazda i podrzuca jajka innym ptakom? — martwi się Marianek.

W trzecim liście, ukrytym w krzewie jałowca, polecenie było jeszcze trudniejsze.

— Największy polski poeta to Adam Mickiewicz, a kompozytor — Fryderyk Chopin — mówi Piotrek.

— A właśnie że Penderecki! — sprzeciwił się Florek, którego siostra chodzi do szkoły muzycznej. — I w telewizji go pokazywali, i mówili, że do wielu krajów jeździ i tam wykonują jego utwory.

Spór rozstrzygnęła pani Helena.

— Oczywiście — Fryderyk Chopin. Już 140 lat minęło od jego śmierci, a na całym świecie pianiści stale grają jego utwory! No, ruszamy dalej! Rozglądajcie się uważnie. Musimy gdzieś ukryć skarb.

Na małej polance, w starym drzewie, Sokole Oko wypatrzył spory otwór.

— Świetne miejsce na ukrycie skarbu — cieszyli się wszyscy.

Otwór był jednak dość wysoko...

Ale i na to chłopcy znaleźli radę. Najwyższy z nich, Piotrek, oparł ręce o pień, stanął w rozkroku, a Kuba jak wiewiórka wspiął się po nim. Stanął mu na ramionach i wpuścił do dziupli uwiązaną na sznurku torebkę cukierków. Koniec sznurka przymocował na zewnątrz, do krzywego sęka po uschniętej gałęzi.

Przez chwilę Apacze patrzyli w otwór dziupli w napięciu. Może wyskoczy wiewiórka? A może obudzą śpiącego w dzień borsuka lub nietoperza? Jednakże w czarnej czeluści nic się nie ukazało.

Nagle Kuba pisnął i pomknął naprzód, machając rękami. Dwie osy krążyły mu wokół głowy z groźnym bzykaniem. Na szczęście skończyło się na strachu.

— Czy w tej dziupli nie mają swego gniazda osy? — zaniepokoił się Sokole Oko. — Ale Teriery mieliby skarb, gdyby tak cały rój os wyciągnęli razem z cukierkami!

— Nie sądzę — powiedziała wychowawczyni. — Przecież te osy zaatakowały Kubę, gdy był już na dole.

Apacze szli teraz przecinką przez brzozowy gaj, wśród smukłych białych pni, brodząc w bujnej trawie.

Nagle chłopcy zauważyli na drodze duży kamień.

— Tu będzie bardzo dobre miejsce na list — stwierdził Piotrek.

— To zbyt łatwe — zaprotestował Dzięcioł. — Narysujmy tu znak listu i strzałkę w lewo z napisem: 6 kroków. Teriery odliczą 6 kroków i w kupce liści znajdą polecenie.

— Taka tu fantastyczna trawa, niech się czołgają do końca przecinki!

— Niech się czołgają!

TERIERY! Czołgajcie się do końca precinki. Potem **10** kroków na premian **podskokami. APACZE**

Dzięcioł odliczył 6 kroków, wsunął list w małą kupkę liści i nagle — wszyscy zastygli w bezruchu ze zdumienia. List poruszył się i zaczął zdążać w głąb lasu razem z kupką liści...

— Jeż! Jeż! — zawołał Dzięcioł.

Chłopcy otoczyli rzekomą kupkę liści, a Dzięcioł delikatnie przewrócił zwierzątko na grzbiet. Przez sekundę widać było cztery łapki i mały ryjek, potem jeż zwinął się w kłębek, strosząc groźnie kolce.

— Dajmy mu spokój — powiedział Sokole Oko. — Zgarnijmy trochę liści i ukryjmy list. Trzeba iść dalej!

— Mieliśmy szczęście zobaczyć jeża, to pożyteczne zwierzątko — powiedziała pani Helena. — Pamiętajcie, jeż jest w Polsce zwierzęciem chronionym.

Resztę drogi odbyli chłopcy w zupełnej ciszy. A w gajówce czekała ich miła niespodzianka w postaci ogromnego garnka pełnego chłodnego kwaśnego mleka.

W niecałą godzinę później Apacze z ganku leśniczówki ujrzeli skradających się Terierów.

Wprawdzie kryli się starannie, jednak nie udało im się zaskoczyć czujnych Indian. Ale i tak spisali się na medal. Nie tylko przynieśli wszystkie listy od Apaczów, ale pozbierali co do jednego kawałki bibułki, którymi Apacze znaczyli drogę.

Nie przynieśli tylko skarbu, który zginął w piętnastu spragnionych gardłach tropicieli.

Droga Magdulińska!

Dziękuję za Twój rebusowy list. Jeśli chcesz wiedzieć, co Twój brat robi na kolonii, obejrzyj obrazki:

Pytasz w liście, co najbardziej lubię. Odpowiedź da Ci eliminatka, jeśli skreślisz w tabelce obok podpisy do kolejnych obrazków.

1.	O	G	N	I	S	O	K	O	B
2.	W	Ę	D	I	R	Ó	W	K	I
3.	W	Y	Ś	C	I	A	G	I	D
4.	P	O	D	C	H	Y	O	D	Y

Całuję Cię w czubek nosa – dawniej Twój brat, a teraz ↗

SOKOLE

Coś nowego — nietrudnego — wesołego — specjalnie dla Ciebie!

Rysunek – Przygoda

Gdyby Zygmuś narysował zygzaki,
Florek — esy-floresy,
dwie Dorotki śmieszne bazgrotki,
do tego trzy Tereski dodały różne kreski,
Małgorzatki kratki, a Igorek wzorek...

— Co by z tego powstało razem?
— Śmieszny wakacyjny obrazek.

Wprawdzie nie ma z Wami tych dzieci,
ale kogoś do pomocy znajdziecie.
Postaw kreskę, a każdy coś doda
i powstanie rysunek-przygoda!

Magda opowiada

Mam Przyjaciółkę

Ania jest śliczna! Ma pomarańczowe warkoczyki i bardzo niebieskie oczy. A złotych kropek na buzi tyle, ile gwiazd na niebie. Chuda jest jeszcze bardziej niż ja, ale silna jak chłopak.

Ania zna się na wszystkich wiejskich sprawach, prawie jak dorosła osoba. Przychodzi do nas codziennie. Wymyślamy wspaniałe zabawy!

Dzisiaj po deszczu Ania włożyła trochę za duże gumowe buty. Wyglądała zupełnie jak Pippi Langstrump. To i ja wyciągnęłam babcine gumiaki i zawiązałam sobie czerwoną chustkę na głowie po piracku.

Odtańczyłyśmy taniec rozbójników morskich.

Ale było śmiechu!

Mój Czerwonoskóry
Bracie Sokole Oko!
Wczoraj pół dnia zbierałyśmy coś w lesie.
Babcia zebrała całą bańkę, Ania i ja
połowę. Ułożyłyśmy eliminatkę. Jak
skreślisz odpowiednie litery w ramkach
i odczytasz pozostałe, to się dowiesz.

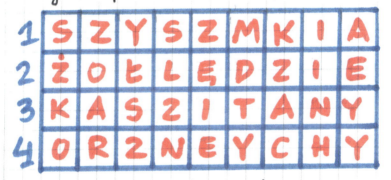

1	S	Z	Y	S	Z	M	K	I	A
2	Ż	O	Ł	Ę	D	Z	I	E
3	K	A	S	Z	I	T	A	N	Y
4	O	R	Z	N	E	Y	C	H	Y

1. ROSNĄ NA SOŚNIE I ŚWIERKU
2. OWOCE DĘBU
3. OWOCE KASZTANOWCA
4. OWOCE LESZCZYNY

No i co? Bardzo trudne?

Całuję Cię mocno

Magda

Co się dzieje na kolonii?

Tylko ze względu na deszcz...

Zaszyliśmy się z Przemkiem w samym kącie świetlicy. Już cztery razy graliśmy w warcaby i zawsze remis.

— Dobry jesteś, Dzięciołku! — powiadam.

— A i ty nie gorszy, Sokole Oko — mówi mój przeciwnik nieco znudzonym głosem.

Nagle Dzięciołowi zabłysły oczy.

— Tyyyy — powiada — zrobimy taaakie przedstawienie.

— Tuuuu?! Bardzo wątpię. Ani kostiumów, ani sceny...

Przemek nic, tylko wskoczył na krzesło jakoś dziwnie, po małpiemu. Zrobił małpią minę, wypychając językiem dolną wargę, i jak nie zacznie podskakiwać z ugiętymi kolanami, a drapać się po głowie i po piersiach — istny pawian!

— Cha, cha, cha! Można boki zrywać! Lepszej małpy w życiu nie widziałem!

A Przemek dalej:

— Podobno byłeś w szkole najlepszy z polskiego... No, powiedz, że nie? Wierszyki układałeś... Napisz sztukę o małpie... i koniec!

Biorę długopis, bazgrzę, bazgrzę... Wreszcie mam coś w rodzaju przedstawienia o małpie, która uciekła z zoo.

Pani miała poważne wątpliwości, czy to właśnie my mamy urządzić przedstawienie, tym bardziej że nie chcieliśmy powiedzieć, o czym ono będzie.

— Pragniemy, żeby to była absolutna niespodzianka! Bardzo panią prosiiiiimy... — powiedzieliśmy takimi „proszącymi" głosami, że aż się pani roześmiała i rzekła:

— No pozwalam, ale tylko ze względu na deszcz.

Paweł bawi się świetnie

Zabraliśmy jeszcze trzech chłopaków i pognaliśmy do sali, aby przygotować przedstawienie.

Już po drodze mówię do nich:

— Dwóch będzie do kurtyny, a ty, Krzychu, masz dobrą pamięć i jesteś wygadany — będziesz gosposią.

Najpierw Krzych się skrzywił, ale jak się dowiedział, że Dzięcioł będzie pawianem, to się uspokoił — i obiecał pożyczyć sobie od dziewczynek chustkę i spódnicę.

Przedstawienie

— Bam! — rozległo się zza koca trzymanego przez Piotrka i Artka.

— Bam!

Na drugie „bam" zrobiło się cicho w świetlicy. A na trzecie chłopcy zwinęli zręcznie koc-kurtynę i zniknęli.

(Na scenę wkracza elegancki pan Jan, czyli ja z teczką pod pachą i w słomkowym kapeluszu. Idę w milczeniu i z godnością. Za mną ukazuje się gosposia, czyli Krzysiek, w chusteczce i spódnicy, z koszykiem jabłek. Biegnie drobnymi kroczkami i lamentuje piskliwym głosem.)

Gosposia:
Proszę pana, proszę pana,
czy nie widział pan pawiana?
Rzecz to w mieście niesłychana
— uciekł z zoo! Ja od rana

Paweł bawi się świetnie

taka jestem zabiegana,
a mój Jacuś w domu sam.
Jedna pani mi mówiła,
co w Afryce długo była,
że tam małpa raz złapała
jej córeczkę, taką małą...
(Tu Krzych pokazuje palcami, jakby to była Calineczka.)

I huśtała, kołysała,
no i oddać jej nie chciała.
Proszę pana, proszę pana,
oddała ją za banana!
Skąd ja wezmę dziś banana?
Taka jestem zaganiana,
A Jacunio w domu sam.
(Wtedy ja przystaję i mówię grubym głosem.)

Pan Jan:
Ech, gosposiu, to są żarty,
w zoo klatki, płoty duże,
a do tego pilni stróże.
Zza tych płotów bestia dzika
nie tak łatwo się wymyka.
Jakem Jan i jakem żywy,
to jest całkiem niemożliwe!
*(Gdy to mówię, długimi skokami zbliża się Dzięcioł-pawian. Gosposia nie-
ruchomieje ze strachu. Z rąk wypuszcza koszyk z jabłkami, a potem jak nie
wrzaśnie...)*

Gosposia:
— Ratunkuuu! pomocyyy!
(Dzięcioł-pawian stroi pocieszne miny. Goni gosposię dookoła sceny...)
  Widownia pęka ze śmiechu. Dziewczyny klaszczą. Pani

Paweł szaleje

śmieje się głośno. I byłoby wszystko w porządku, bo już miałem zaopiekować się miłą bestią i jako zoolog zaprowadzić ją do ogrodu zoologicznego, gdy potknąłem się o jabłko. Straciwszy równowagę, przygniotłem małpie ogon. Ogon się urwał, a pawian jak nie krzyknie:

— Ty ślepy baranie!

— Lepszy baran niż pawian — wołam i w jednym momencie pochylam głowę do przodu i:

— Beeeeeeeeeeeee! — ryczę wściekle na całą salę i gnam w stronę przeciwnika. A Dzięcioł-pawian łaps mnie po małpiemu za nogę i — ba-bach! gruchnęliśmy na podłogę.

Chłopaki szaleją. Podzielili się na dwa obozy. Jedni wrzeszczą: ba-ran, ba-ran!, drudzy: pa-wian, pa-wian!

A my się tarzamy. Walczymy jak lwy.

Pierwszy oprzytomniałem ja. Dostrzegłem kątem oka, że pani wstaje z krzesła z groźną miną. Siedząc na Dzięciole, syczę mu do ucha:

— Zrywamy się razem i kłaniamy jak na ringu, bo inaczej...

Poderwaliśmy się jak sprężyny. Stojąc na baczność kłaniamy się dookoła...

Wszyscy biją brawo. O, pani się uśmiecha, a więc w porządku.

COŚ MIŁEGO - NIETRUDNEGO - TYLKO DLA CIEBIE!

ZAGADKA

Ma cztery nogi,
lecz nie chodzi.
Ma cztery rogi,
lecz nie bodzie.

Czy jest mały,
czy jest duży,
przy posiłkach
ludziom służy.

4 OSTRE ZĘBY SĄ TO...

2 NAJCIEP-LEJSZA PORA ROKU.

1 LITERAMI NAPISZ 100.

3 WIELKI WOREK TO JEST...

Jeśli trudne to zadanie,
znajdź w krzyżówce rozwiązanie.
1. Literami napisz 100.
2. Najcieplejsza pora roku.
3. Wielki worek to jest...
4. Ostre zęby są to...

Magda i Paweł znaleźli już swoich wakacyjnych przyjaciół,
z którymi bawią się i chętnie przebywają.

A to portret . . . .
mojego kolegi, mojej koleżanki — podaj imię

ZABAWA W
chowanego

A-nio-łek, fio-łek, ró-ża, bez,
da-lia, kon-wa-lia, wście-kły pies!

„Pies" wypadł na Anię. Ona kryła. Zasłoniła oczy rękami i zawołała:

> Gał-ka, za-pał-ka, dwa ki-je,
> kto się nie scho-wał, ten kry-je!

Szuuuuuukam!

Ja w tym czasie dałam nurka w siano. Wydrążyłam sobie jamę i ukucnęłam. Źdźbła trawy mnie łaskoczą. Nogi zaczynają mi drętwieć, a ja nic, ani mru-mru.

Ania weszła do stodoły. Rozejrzała się dokładnie i poszła dalej.

Pęknę ze śmiechu! Ania taka sprytna, a nie może mnie znaleźć!...

Aż tu nagle ktoś gwałtownie rozgarnia siano. Czuję na twarzy mokry jęzor. Ach, ty niedobry psie! Cicho, cicho, Bejuś. A Bej o mało ze skóry nie wyskoczy z radości, że mnie znalazł.

I po zabawie.

Ale czy mogę się gniewać na Beja za to, że mnie tak lubi?

Kierunek → poziomkowa poręba!

Upał. Chłopcy idą coraz wolniej drogą wśród pól, przy której, jak na złość, nie ma ani jednego drzewa. Ale oto i las. Z ulgą zanurzają się w chłodny gąszcz.

— Już wiem, dlaczego wszystkie baby-jagi mieszkają w lesie — powiedział zawsze milczący Jarek. — Bo... bo... tu najlepiej udają się czary.

Kilku chłopców się roześmiało, ale pani powiedziała poważnie:

— Kto znajdzie coś zaczarowanego, niech wszystkim pokaże.

— O, tam przez dziury w leśnym suficie słońce puszcza reflektory — odezwał się Bartek, pokazując skośną smugę światła.

— W tym świetle tańczą muszki! Ale spójrzcie tutaj! Ktoś na mchu rozsypał brylanty! — dodał Piotrek.

I chociaż wiedzieli, że to resztka deszczu mieni się w nielicznych tu promieniach słońca, woleli wierzyć, że są w zaczarowanym świecie.

Nagle spod nóg chłopców poderwały się dwie duże żaby.

— Mapety w trawie! — pisnął Dzięcioł, udając przestrach.

— Ciszej! — skarciła pani.

— Co za zapachy! Tu pachnie grzybami. A tu wilgocią. O, bagno! Uwaga, rów! Przeszkoda, stać! — zawołał Paweł, który kręcił się bezustannie.

— Czy taki płytki rów ma nas zatrzymać w drodze do poziomkowej poręby?! — zawołała pani Helena.

— Nigdy! — wrzasnęło naraz czternastu Apaczów, po czym rozbiegło się wzdłuż rowu. W mig znaleźli kładkę — przerzucony przez rów pień starego drzewa...

Zanim chłopcy się spostrzegli, ich opiekunka rozpostarła ramiona i zgrabnie przeszła na drugą stronę.

— Droga bezpieczna! Kto następny? — zawołała.

Chłopcy na chwilę się zawahali. Pień gładki i okrągły, a na dnie rowu czarne błoto...

Nagle Paweł zdjął sandały i boso, naśladując ruchy wychowawczyni, przeszedł na drugą stronę. Dzięcioł wolał iść na czworakach. Reszta rozmaicie pokonywała przeszkodę. Tylko Artek usiadł na trawie i powiedział stanowczo, że nie przejdzie za żadne skarby świata. Minę miał taką, jakby miał się za chwilę rozpłakać. Ale i na Artka znalazła się rada. Pani Helena miała w plecaku długi sznur. Przeciągnęła go od drzewa po jednej stronie rowu do drzewa po drugiej stronie, tuż nad leżącym pniem.

— No, Artek. Teraz masz most z poręczą — rzekła zachęcająco.

Chłopiec zaczął iść sztywno. Patrzył pod nogi... Strach paraliżował mu ruchy.

— Artek, śmiało! Patrz przed siebie! — wołali chłopcy.

— No, zuch — pochwaliła pani Artka za to, że przezwyciężył lęk.

— Ale mi przeszkoda! — zaczął nagle błaznować Florek i wbiegł z powrotem na pień, podrygując niby ze strachu.

Nagły łomot zelektryzował wszystkich. Gdy się odwrócili, ujrzeli Florka siedzącego w czarnym błocie. Ale miał minę! Nawet pani się roześmiała.

Chłopcy podali Florianowi gałąź i pomogli wydostać się z rowu. Nie współczuli mu. — Mógł się nie wygłupiać! — myśleli.

— Szybko do potoku! — zakomenderowała pani.

Po kąpieli Florek paradował w spódnicy z liści paproci, a wypłukaną koszulkę i spodenki niósł na kiju, żeby szybciej wyschły.

Tak zmarkotniał, że aż było żal na niego patrzeć. Dzięcioł i Sokole Oko poczuli litość dla niefortunnego dowcipnisia. Toteż obaj również przybrali się liśćmi paproci i zaczęli skakać wokół Florka, śpiewając:

My jesteśmy zielone żaby,
żaden bociek nie da nam rady.
Kum — kum — kum, rech — rech — rech,
my lubimy śmiech — śmiech — śmiech.

Zrobiło się weselej, tym bardziej że oczom chłopców ukazała się otwarta przestrzeń z wyciętymi drzewami, wypełniona słońcem i zapachem kwitnących ziół... Czyżby to była poziomkowa poręba?!

— Są! — pierwszy krzyknął Jarek.

I rzeczywiście... Obok każdego niemal poziomkowego listka wisiał podłużny owoc jaskraworóżowy, soczysty, wonny... Ależ urodzaj!

— Pro-proszę pani, to nie jest poziomkowa poręba, to jest, to jest Poziomkowe Eldorado — jęknął Sokole Oko w zachwycie.

 **koń**

Koń dziadka Ani ma białą gwiazdkę na czole i białe skarpetki. Jest spokojny i za to dostaje od dzieci chleb i cukier. Tak śmiesznie łapie te przysmaki wargami! W polu mało już pracuje, za to sprawia dużo radości domownikom.

— Chodź, dopadniemy dziadka, gdy wraca z pola, bo potem je, a później drzemie — mówi Ania.

Dziewczynki siadają przy drodze pod krzakiem. Grają w „ciupy". Pięć małych, gładkich kamyczków podrzucają kolejno w górę i łapią. Nagle myk, chowają się jak myszy, bo oto idzie dziadek.

Pan Duda niczego się nie spodziewa. Idzie i o żniwach myśli.

— Mamy dziadka, mamy. Nie wypuścimy z niewoli, aż dziadek wyprowadzi Gniadego.

Pan Duda marszczy brwi i gniewa się, ale tylko tak na niby.

— Uciekajcie, osy utrapione! — powiada. — Człowiek odsapnąć po pracy nie może!

Potem coś tam jeszcze mruczy, ale nie wchodzi do domu, tylko idzie do stajni. Wyciąga siodło, wyprowadza konia. I zaczyna się zabawa. Najpierw sadza dziadek na Gniadego Anię, która się trzyma siodła. Potem Magdę, która się trzyma Ani. Sam bierze lejce i wówczas nie wiedzieć skąd wyskakuje Bej, obszczekuje Gniadego, jakby chciał powiedzieć: — A nie zróbcie krzywdy mojej pani!

Do karawany przyłącza się też pies Ani... Karawana krąży wokół podwórza...

Dziewczynki śpiewają swoją piosenkę:

Nasz dzielny koniu,
w daleki świat dziś gnaj!

My ci śpiewamy:
patata — tata — taj!

„Taj!" — krzyczą najgłośniej, jak tylko potrafią.

Na to wychodzi z domu babcia Ani i śmieje się na całe podwórze.

— Ach, żeby tu z nami była Pippi Langstrump — szepcze Magda do ucha Ani i przyciska się mocniej.

Magda poznaje przyrodę

Tajemnica

Ania wypatrzyła w krzewie jałowca gniazdko. Było w nim pięć malutkich białych jajeczek. Zawołała mnie na migi i pokazała je przez szczelinę między gałęziami.

Pragnęłam je dotknąć. Choćby jednym palcem. Ania nie pozwoliła.

— Ptaszek poczuje, że był tu ktoś obcy. Odleci i nie wysiedzi piskląt — powiedziała.

Potem kazała mi przyrzec, że nikomu, ale to nikomu nie powiem o gniazdku. Przyrzekłam.

Jest to nasza wielka tajemnica.

Kolonijne tajemnice

APACZE i Teriery

Od początku nasza grupa, czyli pani Heleny, współzawodniczyła z chłopakami z grupy pana Zbyszka.

A zaczęło się tak. Oni zdobyli pierwsze miejsce za porządek w salach, my pierwsze miejsce za punktualność. My byliśmy lepsi w biegach, oni w grze w kometkę... i tak dalej.

Aż raz pękła bomba. W konkursie rysunkowym na najładniejszy widok z kolonii oni zajęli wszystkie trzy miejsca: pierwsze! drugie!! i trzecie!!! Uważaliśmy, że to niesprawiedliwe. Pani pocieszała nas mówiąc:

— Nie martwcie się. To czysty przypadek. Wasze prace też są ładne.

Ale na niewiele się to zdało. Nagrodzone prace zawieszono w stołówce. Jak na złość! Obrazki te kłuły nas w oczy, a Teriery zadzierali nosa. Dzięcioł powiedział, że obrazki cichaczem zdejmie, bo już ma tego dosyć.

Pani Helena oburzyła się na to.

— Wstyd! Zazdrośnicy! Trzeba umieć przegrywać. Trzeba być czasem wielkodusznym.

Widocznie mamy jeszcze „małe dusze", bo za nic nie mogliśmy się na tę wielkoduszność zdobyć. Nie umieliśmy się cieszyć ze zwycięstwa kolegów.

Pewnej nocy zniknęły obrazki z jadalni. Podczas kolacji jeszcze je widzieliśmy, a w czasie śniadania ściany wydały nam się dziwnie puste i smutne.

Jak się to stać mogło?!

Gdzie się podziały obrazki ?

To pytanie zadawali sobie wszyscy. Pani Helena patrzyła na nas smutnym wzrokiem, jakby mówiła: zawiodłam się na was. Dzięcioł wyraźnie był markotny. Martwił się, że może pani jego podejrzewa o ten haniebny czyn. Przyrzekł nam, że znajdzie sprawcę tego głupiego kawału. W milczeniu minęło śniadanie, w milczeniu kończyliśmy obiad...

I właśnie wtedy do stołówki wszedł pan Zbyszek. Widać było po nim, że wraca z dłuższej wyprawy. Pewnie chodził do wsi, do Kalinowa. Otarł spocone czoło.

— Ale dzisiaj upał — rzekł. — Jednak udało mi się trafić na ślad sprawców kradzieży tych cennych dzieł sztuki malarskiej. — To mówiąc spojrzał z uśmiechem na puste ściany.

Poderwaliśmy się, nastawiając uszu...

— No, wprawdzie pomimo pościgu nie schwytałem złoczyńców, ale zgubili zaszyfrowany list i dziwną tabliczkę.

Oto list:

37 47 17 35 17 36 15	18 27 25 15 46 15
48 15 28 15 35 38	16 15 26 45 46 17 28 17

A to tabliczka:

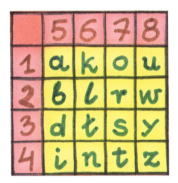

Ale zaczęło się główkowanie!

— Musimy odczytać list i odzyskać obrazki! — Co do tego byliśmy zgodni wszyscy.

— Zaraz, zaraz — powiadam. — Ta tabliczka przypomina mi trochę tabliczkę mnożenia, a trochę polowanie na okręty, taką zabawę w bitwę morską... Ale najważniejsze to w liście zmienić cyfry na litery.

— Mam! Mam! — ryknąłem w pewnej chwili.

Litera po literze odczytaliśmy potrzebną informację. Dalej poszło jak po maśle. Obrazki zwinięte w rulon wisiały u belki w pewnym pomieszczeniu, pustym jeszcze przed żniwami. Właściciel tego pomieszczenia wpuścił nas bez kłopotu, bo nas trochę znał.

Tryumf był całkowity! Już w czasie kolacji powiesiliśmy obrazki z powrotem. Wcale już nas w oczy nie kłuły! Pani Helena cieszyła się razem z nami.

— Ale zuchy chłopaki! — wołała uradowana i śmiała się z ulgą.

Cały wieczór Teriery chodzili za nami, prosząc o wyjaśnienie szyfru.

— Odczytajcie sami — powiedzieliśmy.

A swoją drogą to ten pan Zbyszek ma pomysły!

Paweł podziwia przyrodę

Na szlaku

Wieczorem nie mogłem zasnąć. Myśl o wycieczce nie dawała mi spokoju. Pojedziemy w prawdziwe góry! Będziemy szli prawdziwym szlakiem turystycznym! W nocy przyśniło mi się, że stoję na szczycie wśród skał, a ogromny sęp wyjada mi z chlebaka kanapki.

— Zostaw to! — wołam i rzucam się na ptaszysko.

Obudziłem się. Za oknem stał już autokar.

Tego dnia nie było ani Apaczów, ani Terierów. Wszyscy byliśmy jednakowo przejęci. Stanowiliśmy zwartą grupę gotową na wszelkie trudy.

Autokarem dojechaliśmy do podnóża wysokiej góry. Dalej wolno było wędrować tylko pieszo, ściśle wyznaczonym szlakiem. Pani Helena szła pierwsza. My za nią gęsiego. Na końcu kroczył pan Zbyszek, który ubezpieczał całą wyprawę. Na szczyt wspinaliśmy się długo. Wąska dróżka owijała zbocze góry dokoła. Za każdym okrążeniem wznosiliśmy się coraz wyżej.

Po drodze pani objaśniała różne ciekawe rzeczy. Mówiła najpierw do chłopców, którzy szli za nią, oni powtarzali następnym, ci powtarzali znowu następnym — i tak wiadomość docierała aż do końca naszego węża, czyli do pana Zbyszka. Mówiliśmy cicho. Wiedzieliśmy, że w górach nie wolno krzyczeć, bo może spaść lawina kamieni, a zimą śniegu.

Wyglądało to tak:

— Na lewo kwitnie szafirowa goryczka. Spójrzcie, na lewo goryczka. Na lewo goryczka...

— Podziwiajcie, jakie piękne dziewięćsiły. Na prawo dziewięćsiły. Uwaga, dziewięćsiły...

— Przed nami kosodrzewina... Kosodrzewina... Kosodrzewina...

— Idziemy biało-czerwonym szlakiem. O, tu na skale paski. Biało-czerwone paski... Paski...

Zdobyliśmy górski szczyt!

Szczyt okazał się małą kamienistą łąką, tyle że bez trawy. Rosły na niej jakieś mchy i inne drobne rośliny. — Porosty — jak powiedział pan Zbyszek.

— Ale łyso! — mruknął Dzięcioł.

Stanąłem rozczarowany! Gdzież te skały i te orły, gdzież górskie kozice?! — pomyślałem z żalem.

Ledwie mi to przez myśl przemknęło, a tu pani Helena mówi:

— No, macie chłopcy niebywałe szczęście! Takiej widoczności można pozazdrościć. Ani mgiełki, ani chmurki... Zbliżcie się do mnie i spójrzcie na prawo.

Oniemiałem. Przed naszymi oczami piętrzyły się ogromne, groźne góry z połyskującymi w słońcu, ubielonymi śniegiem szczytami. Stoją jedna przy drugiej, jakby się same stłoczyły w łańcuch górski... Ich urwiste zbocza giną w przepaściach...

— To nasze najwyższe góry, Tatry — powiedziała pani.

— Ach, gdybym był dorosły, wspinałbym się po tych skalnych ścianach, patrzyłbym w groźne przepaście i śmiałbym się...

— Paweł, ale góry... — szepnął Dzięcioł.

I jemu zabrakło słów.

COŚ MIŁEGO-NIETRUDNEGO –TYLKO DLA CIEBIE!

Naopaki

Halo! dziewczynki, halo! chłopaki.
Czy wiecie, co to są naopaki?
Są to śmieszne wierszyki,
ułożycie je sami. Byle było odwrotnie
ot, „do góry nogami"!

Lato, lato lodowate,
co ty nam przynosisz?
Śnieg gorący, lód parzący,
łyżwy, sanki i sasanki.

Zimo, zimo z upałami,
a w co ty się bawisz z nami?
Po lasach ryby gonimy,
w rzekach poziomki łowimy,
z drzew motylki zrywamy
i śpiewu ślimaków słuchamy.

Im coś bardziej niedorzeczne,
tym jest śmiechu więcej...
Hej, dziewczęta i chłopaki,
wymyślajcie naopaki!

— Nad brzegiem suchej rzeki
siedziała młoda staruszka... — zaczęła pani Helenka.
My w śmiech.

— Znacie naopaki?

woda sucha
kamień drewniany
żelazo .miękkie. . . . .
cukier .słony. . . . .
sól .słodka. . . . .
skała drewniana . . . .
ogień zimny. . . . .
pióra cołre . . . .
trójkąt okrągły. . . . .
młodzieniec stary. . . . .
szkło .niettukłące. . . . .
koło .kwadratowe . . . .
.cukierek .niesłodki . . . .
.słodtsłka . . . .
. . . .
. . . .

NIEBEZPIECZEŃSTWO, a nawet dwa

— W górę — na dół, w górę — na dół... Jak przyjemnie tak fruwać! — myśli Magda.

Huśta się dzisiaj na stojąco. Dobrze, że nikt nie widzi!

Aż tu nagle deska spod nóg ucieka i — rrryms! Magda znalazła się na ziemi.

Dziewczynka w pierwszej chwili podnieść się nie może. Rozhuśtana deska fruwa jej nad głową.

Oj, żeby tu była mamusia — myśli płaczliwie.

Ale to tylko chwila słabości. O, już czołga się naprzód, byle dalej od tej szalejącej deski!

Ale co się dzieje? Przez ogród biegnie dziadek.

— Dziadku, nie wolno ci biegać! — krzyczy Magda i zrywa się na równe nogi.

Tymczasem starszy pan jest już blisko. Przez okno widział spadającą dziewczynkę... Fakt, że nie wstała od razu, zaniepokoił go bardzo. No, po strachu — myśli teraz z ulgą i osuwa się na ławkę. Potem wyjmuje tabletkę z kieszeni.

— Ratunku, dziadek zasłabł! — krzyczy Magda, widząc jego pobladłą twarz.

Po chwili niesie wodę, a łzy jak groch padają do kubka.

— No, no — mówi dziadek — woda zrobi się słona i nie wypiję.

Już się uśmiecha, a twarz jego powoli odzyskuje zwykły wygląd.

— Dzia-dzia-dziadziuniu, ale mnie prze-prze-straszyłeś — łka Magda, wkrótce jednak i ona uśmiecha się przez łzy.

— No, nie wiem, kto kogo bardziej przestraszył — mówi dziadek i przytula dziewczynkę do piersi.

Co to takiego »DZIECINIEC«

Magda zawsze lubiła robić coś razem z babcią. „Bo babcia się nigdy nie spieszy" — mawiała. Już gdy miała pięć lat, pomagała robić kluski, lepić pierogi... Ale największa radość to być z babcią na wsi!

Dzisiaj Magda wcześnie wybiegła na dwór. Szust między grządki i dalejże zrywać to sałatę, to rzodkiewki, to koper. A potem, nie zważając na kłujące gałązki, jeszcze nazbierała malin.

Uwijała się z robotą, żeby zdążyć, zanim przyjdzie Ania.

— Babciu, zrywałam to, co najbardziej dojrzałe i najpiękniejsze. Tak, jak mi kazałaś — rzekła, kładąc na stół kolorowe, wonne plony.

Ledwie to powiedziała, do kuchni wpadła Ania z wypiekami na twarzy.

— Proszę pani, proszę pani — wołała od progu — niech pani pozwoli Madzi iść ze mną!

— Ale dokąd? — spytała z uśmiechem babcia, patrząc na rozgorączkowaną dziewczynkę.

— Do dziecińca, koło szkoły!

— Co to takiego dzieciniec? — zapytała zaciekawiona Magda.

— Będziemy pomagać myć dzieciom rączki i karmić podczas obiadu... Możemy też bawić się z dziećmi. Teraz w lecie wszystkie mamusie przyprowadziły maluchy do dziecińca i pani Marysia z babcią Dąbrowską nie mogą sobie dać rady... A najgorzej przy karmieniu!

Ani aż tchu zabrakło, z czego skorzystała babcia i rzekła:

— No, Magdusia nie ma młodszego rodzeństwa, wątpię, czy potrafi zajmować się malcami.

— Babciu, puść mnie, błagam! — zawołała Magda, rzucając się jej na szyję.

— No dobrze, ale pamiętaj, że dzieci to nie lalki. Bądź mądra. I wróć na drugą na obiad, punktualnie!

— A czy mogę wziąć te maliny dla dzieci? Proszę...

— Oczywiście weź, ale zanim pokażesz dzieciom, spytaj panią Marysię, czy możesz je poczęstować.

Z dziecińca dziewczynki wróciły rozpromienione.

— Babciu, kochana, było cudownie! Czy babcia uwierzy, nawet pani Marysia powiedziała, że nikt nie potrafi tak wspaniale postępować z maluszkami jak my. A babcia Dąbrowska to nas tak chwaliła: „O, dzięki wam, dziewuszki, nie będę musiała zmywać, tak czysto wymiecione miseczki i kubeczki!"

Kochany Pawlusiński,
czyli Sokole Oko!

Piszę krótko i nie daję Ci tym razem żadnych zagadek. Nie mam czasu. Już mi nie imponują Twoje indiańskie zabawy. To dobre dla małych chłopców.

Już czwarty dzień karmię Adasia-niejadka, który ma półtora roku. Jak mnie widzi, woła śmiesznie: ma ma, ma ma, a potem łaps za szyję.

Pozdrawiam Cię - dawniej Twoja Siostra, a teraz ↘

Wychowawczyni z Dziecińca

PS Zapamiętaj: ziedziniec i dzieciniec to nie to samo!

Co nowego u Ciebie?

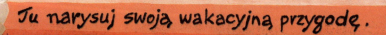

Tu narysuj swoją wakacyjną przygodę.

Moja wakacyjna przygoda

Opowiadanie moje, czyli . . . .
(tu wpisz swoje imię)

. . . .
. . . .
. . . .
. . . .
. . . .
. . . .
. . . .
. . . .
. . . .
. . . .
. . . .
. . . .
. . . .
. . . .
. . . .
. . . .
. . . .
. . . .
. . . .
. . . .
. . . .
. . . .
. . . .
. . . .
. . . .
. . . .
. . . .
. . . .
. . . .
. . . .

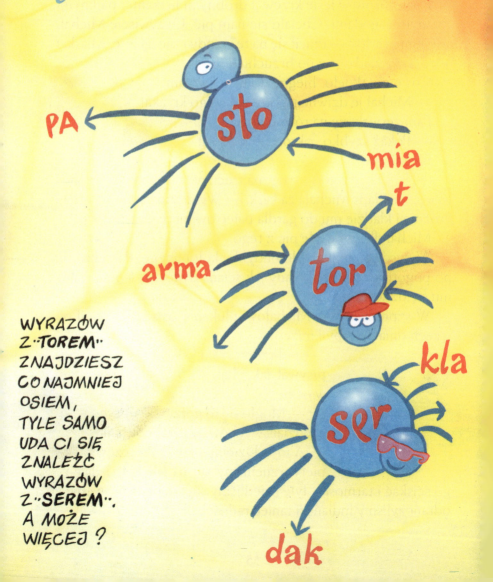

Coś miłego-nietrudnego-tylko dla Ciebie!

Pająki z „torem", „serem" i „setką"

sto PA, mia, t

tor arma

ser kla, dak

WYRAZÓW
Z „TOREM"
ZNAJDZIESZ
CO NAJMNIEJ
OSIEM,
TYLE SAMO
UDA CI SIĘ
ZNALEŹĆ
WYRAZÓW
Z „SEREM".
A MOŻE
WIĘCEJ?

Wilcze jagody

Znaleźliśmy w lesie krzew z drobnymi listkami i pięknymi czarnymi jagodami. Chciało się nam pić. Oczywiście Michał, kolonijny żarłok — rzucił się na te jagody i zaczął jeść. Mlaskał przy tym i gładził się po brzuchu.

Coś mnie tknęło. Biegnę do pani i wołam:

— Michał je dziwne jagody z dużego krzaka!

Pani zerwała się na równe nogi...

— Pokaż szybko, z którego krzewu!

Biegniemy.

— To wilcze jagody, straszna trucizna! — zawołała wychowawczyni i łaps Michała za kark. — Wymiotuj zaraz! — mówi groźnie i kładzie mu do gardła palec owinięty chusteczką.

Michał dławi się, ale nic z tego.

Wszyscy biegniemy do budynku kolonijnego. Pani dzwoni po pogotowie. Michał blady jak ściana dygocze, a oczy robią mu się dziwnie ciemne...

W szpitalu zrobili Michałowi płukanie żołądka. Wrócił po trzech dniach słaby i mizerny.

— Przepraszam, nie będę się już popisywał jak głupi — rzekł, patrząc pani w oczy.

— Mogło się to gorzej skończyć — powiedziała wychowawczyni poważnie.

A my? Dzielne plemię Apaczów? Najpierw rzuciliśmy się na Michała i dalejże go ściskać i tarmosić. Tyle najedliśmy się strachu! A po chwili odtańczyliśmy indiański taniec radości.

Krąg braterstwa

Pogodny ranek. Powietrze kryształowe, a lekki wietrzyk przeczesuje drzewom czupryny... Tylko pani Helena ma poważną minę, brwi ściągnięte...

— Po śniadaniu zbiórka, na łące za boiskiem — mówi surowo.

Co się stało? Chyba ktoś tęgo nabroił — myślą chłopcy zaniepokojeni, a żaden nie ma czystego sumienia. Wczorajszy dzień był fatalny. Jedni chcieli nad potok, drudzy do lasu... Krzysiek pobił się z Władkiem, Piotrek skakał do oczu Przemkowi... Heniek zirytował panią, bo podarł ubranie i pokaleczył kolana...

Gnani ciekawością punktualnie stawili się na łące.

Ale oto i zbliża się pani Helena, a pod pachą niesie wiązkę kijów. Co to będzie?! Krzysiek aż poczerwieniał... Co lepsze? Czy dostać w skórę, czy opuścić kolonię... Ale wstyd!

— Weźcie się za ręce i zróbcie równe koło. A teraz siad skrzyżny — rozkazała wychowawczyni. Chłopcy, spoglądając na siebie niepewnie, usiedli po turecku, gdzie kto stał.

— Proszę, niech podejdzie do mnie najsilniejszy z was — mówi pani.

Po krótkim namyśle Apacze wybrali Piotrka. Nieco ociągając się wyszedł na środek. Wychowawczyni podała mu pęk kijów. Chłopcy spostrzegli, że były one związane sznurkiem.

— Złam tę wiązkę kijów — rzekła.

Piotrek mocował się na próżno.

— A teraz niech wystąpi najsłabszy z was.

Wytypowaliśmy małego, słabowitego Marianka. Stanął na środku, kuląc się jeszcze. Wyglądał na przedszkolaka.

— Rozwiąż ten pęk kijów i łam je po jednym — rozkazała pani.

I co się okazało?! Nie minęło kilka minut, a cały pęk kijów leżał połamany.

— Pomyślcie o tym, co się tu stało... A ja wam opowiem starą historię.

Pani Helenka usadowiła się wygodniej i zaczęła opowiadać.

— Bardzo, bardzo dawno temu żył pewien dzielny i mądry wódz, który miał czternastu synów. Synowie ci — niestety — często wszczynali kłótnie. Gdy jeden chciał budować wał obronny wokół osady, drugi planował handlową wyprawę, trzeci wyjazd na wojnę, a czwarty uważał, że najlepiej nie robić nic... I gdyby nie ojciec, który łagodził spory i rządził żelazną dłonią, w kraju nie byłoby ani ładu, ani spokoju, ani też nie byłoby czym wyżywić ludności.

Ale wódz był już niemłody i trapił się bardzo, że gdy go zabraknie, wszystko obróci się w ruinę, a wrogowie zniszczą kraj do reszty.

Pewnego dnia wezwał synów do siebie i podał im czternaście kijów związanych w jedną wiązkę. I... powtórzyło się to, co wy, chłopcy, dzisiaj na własne oczy widzieliście.

Potem wódz rzekł:

— Synowie moi, z wami jest tak, jak z tymi kijami. Wszyscy razem stanowicie ogromną siłę. Możecie zdziałać wiele, a nikt was nie pokona. Ale gdy nie będziecie pracować wspólnie i zgodnie, nie dokonacie niczego i kraj nasz przepadnie.

Synowie zrozumieli przestrogę ojca i odtąd przestali się kłócić. Uzgadniali swoje plany i razem je wykonywali. Rosły więc nowe budowle, zwiększał się dobrobyt krainy, a stary wódz w szczęściu i spokoju dożywał lat swoich...

— Czy można z tej opowieści wysnuć jakiś wniosek dla naszej grupy, dla plemienia dzielnych Apaczów? — spytała pani Helena na zakończenie i popatrzyła dookoła, zatrzymując wzrok na twarzy każdego z chłopców.

Jaki jest naprawdę

W grupie mamy Samochwałę. Lubi opowiadać o sobie, chwalić się tym, co posiada lub ma otrzymać w prezencie.

Pewnego razu spojrzała pani na zegarek i mówi:

— Cóż to, dopiero dziesiąta? Mój zegarek stoi!

A na to nasz Samochwała:

— Ja mam w domu zegarek elektroniczny, i to z melodyjką! Ten to nigdy nie stanie!

— Chyba że się wyczerpie bateria — mówię.

— A mój tato ma kalkulator, który się nigdy nie wyczerpie, bo jest na światło słoneczne!

— Słońce wysyła dużo energii — powiada pani.

— A ja już niedługo będę miał taki aparat fotograficzny, który co minutę może zrobić kolorowe zdjęcie. Cyk — i wyskakuje gotowe zdjęcie! Wujek mówił, że jeszcze tylko trochę podrosnę...

Znudziły mnie te przechwałki, więc mówię z powagą:

— A ja mam taki przyrząd, który bezbłędnie pokazuje chwalipiętę.

Wyciągam lusterko i skierowuję w stronę Samochwały. Wszyscy w śmiech... Ale tak w ogóle to lubimy naszego Samochwałę (nie powiem imienia, nie jestem plotkarzem), bo jest z nim wesoło, nie obraża się, tylko śmieje się razem z nami.

Tak jak Stefek Burczymucha „przez dzień cały trąbi swe pochwały".

Tak on wciąż się chwali:	A tak my się z nim przekomarzamy:
Jestem	Jesteś
mocny jak słoń,	słaby jak mucha,

odważny jak lew,
pracowity jak mrówka,
szybki jak jeleń,
mądry jak sowa,
skromny jak myszka.

bojaźliwy jak . . . .
leniwy jak . . . .
powolny jak . . . .
głupi jak . . . .
dumny jak . . . .

Kochana Wychowawczyni z Dziecińca!

Nie myślałem, że na tej kolonii będzie tak wspaniale. Wczoraj układaliśmy z chłopakami rebusy. Pisaliśmy je patykami na mokrej ziemi. Poznałem całkiem inne niż te z naszych listów. Nowe rebusy składają się z sylab i liter odpowiednio rozmieszczonych.

Na przykład zapis, w którym pod sylabą **to** znajduje się **ga** wygląda tak: $\frac{to}{ga}$ i czyta się **pod**-**to**-**ga** = podłoga, $\frac{ko}{wa}$ = podkowa, $\frac{szeur}{ka}$ = podszewka. Albo inny zapis: **da** w **o** znajduje się **da**, a więc w**o****da** = woda, **sy** =? Może też być odwrotnie: **ka**, **ka** znajduje się w **a**, **ka**·w·**a** = kawa.

Przeczytaj to rebusowe zadanie: **lek** się **gnie**, a **cek** **śpie**.

Ściskam Cię mocno – dawniej **Pa** ~dziś ➚

SOKOLE

Na działce

Dziś mija tydzień od naszego przyjazdu nad jezioro. Mieszkamy w wypożyczonym od wujka letnim domku. Tata i mama na dole, a ja na górze. Jest tu łóżko dla Pawła, ale niestety długo jeszcze będzie puste. Aż Paweł wróci z kolonii! Z okna widzę jezioro, które wciąż zmienia swój wygląd: gdy pogoda — jest niebieskie, gdy pochmurno — bure, o zachodzie — różowe, złote, srebrne...

Codziennie chodzimy z tatą na ryby. Nasze miejsce to długi drewniany pomost, który stoi na grubych balach najpierw w płytkiej jasnej wodzie, a na samym końcu w czarnej, głębokiej. Moje królestwo to początek pomostu. Woda jest tu prześwietlona słońcem, widać piaszczyste dno, jak w akwarium! Tata gospodaruje na końcu pomostu. Tam zarzuca wędki w ciemną głębinę.

Gdy wchodzę na deski, od razu spotykam jakieś stworzonko, przeważnie chrząszcza. Kucam, przyglądam się takiemu, a on... rozchyla lśniący, niebieski płaszczyk, wysuwa błoniaste skrzydełka i frrr... już go nie ma. Zupełnie jak biedroneczka, chociaż jest dużo większy.

Potem leżę i patrzę w wodę. Delikatne zielone roślinki kołyszą się, gdy robię fale ręką. Malutkie rybki płyną gromadką to w tę, to w inną stronę. A wszystkie razem, jak na komendę. A może któraś z nich podaje hasło?

A to co? W pęcherzyku powietrza unosi się w wodzie pająk? Ach, to pewnie ten pająk topik. Zatopiony, ale nie utopi się — ma czym oddychać. Pani nam o nim kiedyś opowiadała...

Nieraz myślałam, kim zostanę, gdy dorosnę. Teraz już wiem na pewno: będę badaczem przyrody!

Magda i duchy
Białe damy

Obok letniego domku wujostwa, za krzewami bzu, znajduje się piękny kwiatowy ogródek, a w nim dom sąsiadów. Sąsiedzi mają dwie córki: Lidkę i Marzenę. Dziewczynkom opowiedziałam o naszej wycieczce do ruin zamku.

— A my byłyśmy w Janowcu, tam są jeszcze ciekawsze ruiny — powiedziała Marzena.

— Bo tam straszy Biała Dama! — dodała Lidka z przechwałką.

— Phi, mogą duchy straszyć w zamkach, mogą i tu, na działkach — powiedziałam niedbale.

Dziewczynki podchwyciły myśl od razu. Tuż przed wieczorem przyniosły mi kawał starej firanki, którą miałam zarzucić sobie na głowę, a resztą się owinąć. Wyciągnęłam ze schowka kawałek starego łańcucha od studni. Słyszałam, że duchy jęczą i dzwonią łańcuchami.

— Jest ciężki, ale mogę go wlec po ziemi — rzekłam.

Tylko kogo by tu nastraszyć — głowiłyśmy się we trójkę. Aż wymyśliłyśmy. Nastraszymy Wacka. Jest tylko trochę od nas starszy. Codziennie wieczorem o jednej porze Wacek przynosił 2 litry mleka z wieczornego udoju.

Wieczór był pochmurny, więc szybko zrobiło się ciemno. Lidka i Marzena ukryły się w krzakach, a ja ciągnąc łańcuch wyszłam na dróżkę Wackowi naprzeciw.

Chłopiec stanął niepewnie i zaczął nasłuchiwać, co tak dzwoni. Może to krowa urwała się z łańcucha i przywędrowała do lasku na działki — myślał. Wtedy dziewczynki zaczęły jęczeć:

— Jejjejeeeeeeeeeeej! Jej! Jej! Jej! — zaniosło się w ciemnościach. Po czym wyszły na dróżkę. Zza chmury wyjrzał księżyc i oświetlił trzy chwiejące się białe postacie.

Wacek wypuścił z rąk bańkę — i w nogi. My w śmiech...

Słysząc jęki, wybiegła z domu mama Lidki i Marzeny. Spojrzała na nas, na leżącą bańkę i powiedziała krótko:

— Były duchy, nie będzie mleka. Szukajcie zaraz Wacka!

Wacek wrócił zawstydzony, że się dał przestraszyć. Mama wręczyła mu 3000 złotych za mleko.

Najpierw nie chciał wziąć, ale przecież to nie jego wina, że go przestraszyłyśmy.

— Właściwie to duchy powinny płacić! — odezwałam się...

— Mój pomysł, a więc jutro przyniosę pieniądze! — dodałam nieco schrypniętym głosem, bo gardło mi się zaciskało z żalu. Prawie całe oszczędności! A już sobie upatrzyłam różne prezenty w Łęcznej...

— Z jakiej racji ty! — zawołały jednocześnie Lidka i Marzena. — Tę sumę podzielimy na trzy. Tak będzie sprawiedliwie.

Tak też dziewczynki zrobiły.

POWIEDZ, ILE ZŁOTYCH KOSZTOWAŁA MAGDĘ ZABAWA W DUCHY?

Coś ciekawego — akurat dla Ciebie!

Czy umiesz myśleć?

To zadanie wymyślił Paweł dla Magdy.
A czy Ty sobie z nim poradzisz?

Co było wcześniej, a co później?
Obrazki połącz w pary i oznacz literami **W** i **P**.

Jak schwytałem echo.

Leżymy sobie pod lasem zmęczeni wędrówką. Gapimy się na płynące po niebie chmury, słuchamy świerszczy i czekamy na hasło: wstawajcie, idziemy. Nagle podniósł się Krzysiek. Przyłożył do ust dłonie i zawołał:

— Kto rwał jabłka z drzewa?

Z dala doleciał głos:

— Eeeewa.

— Co robi echo w lesie?

A echo na to:

— Wieści niesie.

Dziwne echo, pomyślałem sobie. Szykuje się niezła zabawa.

A Krzych woła dalej:

— Czy echo nie kłamie?

— A nie!

— Kto podjadał w szkolnym ogrodzie maliny?

— Dziewczyny.

Na to wszyscy się poderwali:

— Kto im pomagał z chęcią?

— Dzięcioł!

— Kto ich za to gani?

— Paaani!

Coś to „echo" zbyt dobrze wie o wszystkim. Postanawiam „echo" wystawić na próbę.

— Kto wpadł w błoto we wtorek?

Co u Pawła?

— Floooorek.

— Kto z nas największy niejadek?

— Właaadek!

W tym momencie włącza się Krzych:

— Kto widzi daleko — wysoooko?

Echo:

— Sokole Oko!

— Czyja szczotka oknem wypadła?

— Paaawła!

No, tego już za wiele! Zrywam się i z całych sił pędzę w stronę, skąd dolatywał głos. Moja szczotka, moje zęby! Niech tylko dostanę w ręce to plotkarskie echo... Nagle zatrzeszczały gałęzie. Rozległ się łomot. To „echo" zeskakuje z drzewa — myślę i zaciekle przedzieram się przez chaszcze, które wszystko zasłaniają. Wreszcie dopadam sprawcy. Walimy się na leśną ściółkę.

— Za Dzięcioła, za szczotkę! — syczę i przyduszam wroga do ziemi.

— Paweł, nie wygłupiaj się, puść mnie! — odzywa się „echo" z nosem we mchu.

— Ach, to ty, Piotrek?! — mówię i w śmiech, bo po Dzięciole jest to mój najlepszy kolega.

— Sokole Oczko, tylko nie mów chłopakom, że to ja byłem echem — prosi Piotrek przymilnie.

— Nie jestem paplą — burknąłem urażony.

Wróciłem więc do grupy i powiadam:

— Echa nie złapałem, przecież jest to niemożliwe.

Ale chłopcy nie dali się zbyć tak łatwo. Zaczęli mnie męczyć: Kto to był? i kto? Oczywiście nic nie wskórali.

A tymczasem Piotrek ukrył się w krzakach, a potem niepostrzeżenie dołączył do nas na ścieżce.

Nieoczekiwane spotkanie

Z lasu wracaliśmy płytkim wąwozem, którym biegła droga. Tworzyliśmy zwartą grupę, tylko Piotrek, Krzych i Dzięcioł wybiegli naprzód i rozśmieszali wszystkich. To szli gęsiego, kołysząc się jak kaczki, to znów człapali jak niedźwiedzie lub na niby brodzili w błocie jak bociany, wysoko unosząc kolana. Wreszcie dreptali jak cyrkowi klauni, śmiesznie stawiając wykrzywione stopy na zewnątrz. Piotrek co chwila pytał: „Kto to idzie? kto?" — a my musieliśmy zgadywać.

Pani Helenka śmiała się i zgadywała razem z nami.

Nagle naszym oczom ukazał się dziwny widok. Boczną ścieżką od strony lasu zbliżali się harcerze. Pierwszy szedł starszy druh z kijem w ręce. Dalej czterech harcerzy niosło koc za rogi, a w kocu coś tajemniczego... Za nimi w pewnej odległości maszerowało dwójkami kilkunastu chłopców. Wszyscy szli bardzo szybko w stronę leśniczówki. Dziwny pochód zrównał się z nami. I co się okazało?

Harcerze nieśli chorego zająca, którego znaleźli w lesie. Zamiast natychmiast dać znać druhowi, jeden z chłopców podrażnił gałązką biedne zwierzę i został zadraśnięty w palec; jeszcze trzech harcerzy stykało się z chorym zającem. Właśnie im druh kazał przesunąć zwierzę za pomocą gałęzi na koc i nieść. Zając musiał być przebadany, a czterej chłopcy, jeżeli okaże się, że potrzeba, będą szczepieni przeciw wściekliźnie. Koc będzie spalony.

Na próżno chcieliśmy obejrzeć chorego zająca. Harcerze szybko pomaszerowali dalej, a nasza pani powiedziała poważnie:

— Pamiętajcie chłopcy, jeżeli dzikie zwierzę nie ucieka przed człowiekiem, jest chore. Może to być wiewiórka, zając czy lis. Zawsze trzeba pamiętać, że może być chore na bardzo niebezpieczną chorobę dla zwierząt i dla człowieka — na wściekliznę.

Gdy któryś z was zobaczy chore zwierzę,
powinien natychmiast dać znać dorosłym.

Co słychać u Magdy?

Jak długo można siedzieć na tym pomoście — myśli Magda z irytacją. Zrywa się co chwila ze swego kocyka i biegnie do taty z pytaniem, czy coś złapał.

— Jeśli będziesz mi płoszyć ryby, do wieczora nic nie złowię! — gniewa się tata.

— To co mam zrobić? W kamień się zamienić? Potem byś płakał jak król Midas. „Okrutny losie, zwróć mi moją ukochaną córeczkę, która ma rumieńce na buzi i całuje mnie codziennie na dzień dobry!"

Magda zawodzi płaczliwym głosem, wznosząc ręce ku niebu.

— „Nie chcę tego złotego posągu, już ja wolę, żeby się moja córeczka bez przerwy ruszała, wierciła, kręciła..."

Dalszy ciąg lamentu Midasa przerwał gromki śmiech:

— Ale z ciebie artystka! — śmieje się tata. (No i jak tu się gniewać na taką Magdulinę — myśli.)

— To nie ze mnie, to z Pawła. To on się uczył roli króla Midasa. No, tym śmiechem to już, tatku, na pewno ryby wypłoszyłeś — mówi dziewczynka i podbiega do ojca. — Pomogę ci poskładać wędki i pójdziemy na spacer. Dobrze, tatuńciu?

Udało się! — myśli uszczęśliwiona Magda, idąc u boku taty przez las.

— Najpierw chodźmy do mojego mrowiska — prosi dziewczynka. — Ciepło dziś, słonecznie, to moje mrówki suszą ryż preparowany.

— Co to dziecko plecie? — jęknął ojciec, chwytając się za głowę.

— A właśnie że tak, widocznie ktoś im do mrowiska ryżu

nasypał. Marzena mówiła, że to mrówcze jaja. Ale czy mrówki mogłyby znieść jajka większe od siebie?

— Bo to nie są jaja, tylko poczwarki. Z jaj wylęgły się larwy, potem zamieniły się w poczwarki, z których dopiero wylęgną się owady. Tymi poczwarkami opiekują się mrówki robotnice.

Oboje przykucnęli przy kopcu misternie ułożonym pod wysoką sosną. Swoimi ścieżkami podążały mrówki jedna za drugą, niosąc igły, patyczki, drobinki jakichś mrówczych pokarmów...

— Mrówki są wszystkożerne i dlatego są bardzo pożyteczne, oczyszczają las z różnych gnijących resztek. Taka służba sanitarna!

— Tatku, mówi się: pracowity jak mrówka. One rzeczywiście wciąż coś robią.

— Tak, te mrówki to robotnice. Są jeszcze mrówki żołnie-

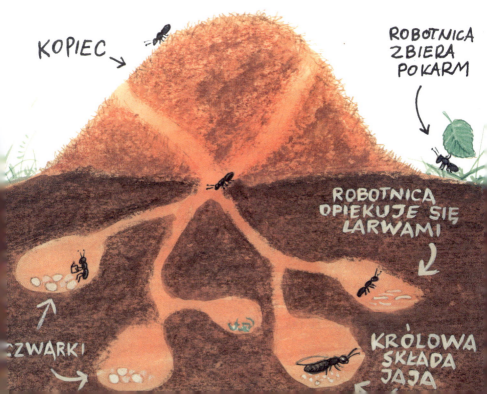

KOPIEC →

ROBOTNICA ZBIERA POKARM

ROBOTNICA OPIEKUJE SIĘ LARWAMI

:ZWARKI

KRÓLOWA SKŁADA JAJA

rze. Wprost nie do wiary! One nie tylko bronią swojego mrowiska, ale urządzają wyprawy do innych mrowisk. Tam zdobywają żywność i poczwarki, z których wychowują niewolników przeznaczonych do pracy.

— Tatusiu, ale skąd się bierze takie mrowisko?

— Początek mrowisku daje królowa, która składa jaja i opiekuje się nimi, aż się wykłują pierwsze robotnice. Potem robotnice już zajmują się pozostałymi poczwarkami i same budują gniazdo. Rozbudowują je nieraz przez wiele lat coraz to nowe pokolenia mrówek.

— Jakie to ciekawe! Jutro opowiem wszystko Lidce i Marzenie — postanowiła Magda.

Na kolonii

Czy najlepszy?

Kuba jest już taki, że zawsze chce być najlepszy. Wszystkim musi imponować.

Gdy pewnego razu znaleźliśmy starą opuszczoną chatę, zaraz Kuba wdrapał się na strych. Przegniłe deski się zarwały. Dobrze, że na dole było trochę siana. Inaczej by się potłukł dotkliwie. Na drzewa wchodzi najwyżej, w potoku wciąż się chlapie. Czy zimno, czy ciepło — cały się moczy, a potem w nocy kaszle. (Pani mówi, że gdyby wszyscy byli tacy jak Kuba, musieliby rozwiązać całą kolonię.)

Aż pewnego razu przebrała się miarka.

Siedzimy po obiedzie na trawie przed budynkiem. Czekamy. Pani Helena i pan Zbyszek poszli do kierownika... na chwilę.

Zaczął Heniek, ten Skunks utrapiony.

— E, Kuba — powiada — na dachu budynku to jeszcze nie byłeś! Takiś odważny, a się boisz.

Na domiar złego usłyszeli to Teriery i dalejże podrwiwać.

— Apacze biegają po preriach, ale wysokości się boją. Słyszycie, jak Kubie dzwonią zęby ze strachu? — mówi jeden z nich.

— Pilnuj swoich psich figli, Terierku. Od Apaczów z daleka! — warknąłem i... zamykam oczy, wystawiając się do słońca.

Cisza... Ale ich zatkało, myślę zadowolony.

Nagle zaniepokoił mnie ten idealny spokój. Tknęło mnie złe przeczucie. Odwracam się, a tu Kuba jak małpa wspina się po rynnie, już jest na wysokości piętra. Chłopaki gapią się jak zaczarowani.

— Złaź, idioto! — wrzeszczę i biegnę do rynny.

Kuba nie słucha. Już jest na dachu. Odłamki zwietrzałych dachówek sypią się jak grad, tłuką o rynnę. Kuba czuje zagrożenie i kurczowo chwyta się jakiegoś występu.

— O Boże, on się zabije! — myślę przerażony.

Nagle słyszę spokojny głos pani Heleny:
— Kuba, nie ruszaj się! Zaraz będzie drabina...

W mgnieniu oka przynieśli drabinę pożarniczą i pani Helena sprowadziła pobladłego „bohatera" na dół.

— Idź... do sypialni i... spakuj swoje rzeczy — powiedziała, a głos jej się załamywał z wielkiego zdenerwowania. — Zaraz wyślę telegram do twoich rodziców.

Kuba w płacz. Szlochał tak rozpaczliwie, że aż nam wszystkim zrobiło się nieswojo. Było go nam szczerze żal. Oczywiście poszedł do sali zbierać swoje rzeczy.

Odbyliśmy naradę. Całe plemię Apaczów postanowiło odtąd pilnować Kuby — całe plemię będzie błagać panią, żeby zgodziła się go zostawić... Skunksa za podjudzanie ukaraliśmy sami. Już do wieczora traktowaliśmy go jak powietrze. Nikt się do niego nie odezwał...

Kubę pozostawiono na kolonii warunkowo, to znaczy pod warunkiem, że będzie to jego ostatni głupi wyczyn.

Niech żyje pani Helena!

Magda się bawi

Po śniadaniu Magda pobiegła nad jezioro. W ulubionym przez nią miejscu, na pomoście, siedziała Marzena. Co ona tam robi?

Zaciekawiona Magda bezszelestnie zaczęła się zbliżać... To, co ujrzała, wprawiło ją w zdumienie. Obok Marzeny leżała sterta drobnych kamyków, z których dziewczynka układała dziwne szlaczki.

— Cześć, Marzena! W co się bawisz?

— W pisownię...

— W co?! — Magdzie zdawało się, że nie dosłyszała.

— Robiłam błędy ortograficzne i teraz powtarzam wyrazy na „o" z kreską.

Magda ukucnęła i przyglądała się z niedowierzaniem.

— To są wyrazy z takim „ó", którego nie da się wymienić na „o". Trzeba je zapamiętać. No, zgaduj!

I Marzena pokazała pierwszy rządek kamyków.

— Śmiało! Rządził w dawnych latach...

— **Król** — zgadła Magda.

— Jest wysoka, wysoka...

— **Góra**.

— Lata i ćwierka...

— **Wróbel**!

— No, to teraz zgaduj ty! — i Magda zaczęła układać wyrazy.

— Piękny, pachnący kwiat.

— **Róża**!

— Jest podłużny, może być kwaszony.

Dalej była **jaskółka**, **tchórz**, **żółw**, **żółty** i **późny**... Czas mijał niepostrzeżenie. Dziewczynki nauczyły się odczytywać wyrazy z samego układu kamyków.

Pierwsza opamiętała się Magda.

— Ojej, pewnie już południe. Obiecałam mamie przynieść sałatę i **ogórki** od ogrodnika. **Pójdziesz** ze mną? Tam są **króliki**, zaniesiemy im mleczu.

Dziewczynki pobiegły w stronę wsi.

Drogi Pawlusiński!

Nie myśl, że ja tu na wsi całkiem nie mam się z kim bawić. Wczoraj z Marzeną układałyśmy wyrazy z kamyków, a dzisiaj dziewczynka z klasy 4 pokazała nam nowe rebusy. Jeszcze inne niż Twoje. Czy je odczytasz? Podaję tylko jedno rozwiązanie.

SIA = z o SIA = Zosia

ZIA = z u ZIA = ? **NEK** = ?

A ta dziewczynka, która teraz przyjechała na działki, tak pisze swoje imię: ka/tal

Cześć braciszku!

Magda

W poszukiwaniu rosiczki

Magda obudziła się wczesnym rankiem. Na dole ruch. Mama płucze jarzyny. Tata nosi wodę... Dzwonią wiadra...

— Wiesz, Magda bardzo interesuje się przyrodą. Ma to po mnie. Czy uwierzysz, że jako chłopiec przez kilka lat z rzędu na początku wakacji postanawiałem sobie, że znajdę rosiczkę? Chciałem zobaczyć, jak roślina żywi się owadami. Przecież nie ma pyska, ani zębów, ani żołądka... Roślina owadożerna... Wprost nie mogło mi się to w głowie pomieścić.

— No i co? Udało ci się?

— Ależ skąd! Przecież dzieci na wakacje nikt nie wywozi na torfowiska czy bagna.

— Może tu byś spróbował? Niedaleko są bagna. Słyszałeś, że ten obszar nazywają Polesiem Lubelskim? Są tu torfowiska, to i pewno rosiczki...

Nagle rozległo się dudnienie bosych pięt po drewnianych schodach. Magda bez tchu wpadła na taras:

— Szukajmy rosiczki! Tatku, chodźmy szukać!

Rodzice się roześmiali.

— A może zjesz najpierw śniadanie?

— E, co tam śniadanie? Wolę zobaczyć, jak je rosiczka!

— Dobrze, dobrze — mówi mama — i stawia talerz owsianki na stole, a obok kładzie jajko i rzodkiewki.

— Dam wam po kanapce, herbaty do manierki i wędrujcie, moi kochani przyrodnicy. A jeśli znajdziecie rosiczkę, zapamiętajcie miejsce, to i ja pójdę ją obejrzeć.

Tatuś z Magdą wyruszyli niezwłocznie. Minąwszy rzadki las, przecięli podmokłą łąkę, rozglądając się bardzo uważnie, czy nie zobaczą rośliny z koliście rozłożonymi liśćmi pokrytymi czerwonymi włoskami. A może jeszcze z drobnymi białymi kwiatkami na długiej nagiej łodyżce?

Niestety, rosiczki nie było. Skręcili więc w dróżkę prowadzącą między polami uprawnymi, aby dojść do niedużego stawu w pobliżu bagien.

— Tam zawsze najwięcej żab i bocianów, może znajdziemy i rosiczkę — rzekł tata.

Słońce zaczęło mocniej przygrzewać, a zewsząd niosły się zapachy ziół, cykanie świerszczy, szelesty dojrzałych kłosów uderzających o siebie za podmuchem wiatru.

— Piękne jest lato... — westchnęła cichutko Magda.

Wędrowali ponad godzinę. Skończyły się pola, zaczęły łąki i to coraz bardziej podmokłe. Wyraźnie teren się obniżał. W pewnym momencie ukazała się połyskliwa, spokojna tafla wody, otoczona prawie ze wszystkich stron gęstymi szuwarami i wikliną.

Wędrowcy znów uważnie zaczęli się przyglądać roślinom w poszukiwaniu tej najdziwniejszej. Tak doszli do brzegu stawu. Tu wyszukali suche miejsce i zmęczeni usadowili się w cieniu.

Nagle Magda ścisnęła mocno tatę za ramię i bez słowa wyciągnęła rękę. Ojciec spojrzał we wskazanym kierunku i też się zdumiał...

Nie opodal, na błotnistym brzegu stały dwa najprawdziwsze żółwie. Widocznie wygrzewały się na słońcu. Były wielkości męskiej dłoni. Na ich pancerzach wyraźnie odznaczały się małe, podobne do prostokątów, tarczki. Zwierzątka były tak blisko, że Magda bez trudu stwierdziła, że u łapek mają po pięć pazurów, a z tyłu śmieszny krótki ogonek.

— Nie myślałem, że są tu żółwie błotne — powiedział tata. — Rzadko się je u nas spotyka.

W pewnej chwili żółwie poruszyły się i jeden za drugim podreptały do wody.

— Jak zgrabnie pływają — zdziwiła się Magda.

— Zaraz będą łapać żaby na drugie śniadanie — mówi tata.

— A co z rosiczką?

— Poszukamy w powrotnej drodze. Ale i tak już nam szczęście dopisało!

Kosmita

Na kolonii wrze. Jak w ulu. Istny szał radości!

— Jedziemy do Zakopanego! Zobaczymy Tatry! Kolejkę linową! Pojedziemy na Gubałówkę! Co tam Gubałówka! Na Kasprowy! — chłopcy przekrzykują się wzajemnie.

Spośród Apaczów tylko Sokole Oko zostaje w budynku kolonijnym. To przez ten niefortunny skok... Nadwerężona noga boli go dotkliwie.

Przemek z wypchanym chlebakiem przepycha się na koniec autokaru — tam zawsze najweselej! Nagle zastępuje mu drogę Heniek.

— Dzięciołku — powiada, a gęba jaśnieje mu tryumfem. — Jedziemy! Cha, cha, cha... Wyjrzyj tylko. Sokole Oko siedzi w oknie i nam zazdrości. Ale ma minę, boki zrywać!

W tym momencie zielone oczy Przemka zwęziły się jak u dzikiego kota. Chłopak czuje, że same palce zwijają mu się w pięści. Pochyla się nad Heńkiem...

— Ty Skunksie Śmierdzący, hieno... — syczy mu w ucho.

— Tak cię śmieszy mina Pawła? Gdyby nie wychowawczyni...

I w tym momencie Przemek urywa. Olśniony jakąś myślą, wymija osłupiałego Skunksa i podchodzi do pani Heleny. Chwila rozmowy, wychowawczyni kiwa głową. Heniek widzi, jak Dzięcioł znika w przodzie autokaru. Odetchnął z ulgą. Co go ugryzło? — myśli zdumiony. Ale nie ma czasu się zastanawiać... Autokar ruszył!

*

Tymczasem Paweł odwrócił się od okna i padł na łóżko. Sprężyny zajęczały żałośnie. A to pech — myśli. — Akurat przed wycieczką skręcić nogę!

W pewnej chwili chłopcu wydało się, że wokół robi się szaro... Jakby pod sufitem zbierały się chmury...

— Czeka mnie długi, pusty dzień... Chłopaki wrócą wieczorem...

Stos książek, które mu na pociechę przynieśli Apacze, też wydaje mu się szary...

Gdzież się podział złoty humor Sokolego Oka? Gdzie jego sławna zaradność i pomysłowość? Chłopiec słyszy jak przez mgłę głos taty: „Paweł, uszy do góry!" Potem śmiech Magdulińskiej. Jak ona się zaraźliwie śmieje...

Paweł sięga po listy z domu...

Nagle coś błysnęło. Dziwny srebrny przedmiot wpadł oknem, zatoczył łuk i znalazł się na łóżku Pawła. Chłopiec chwycił to „coś" błyskawicznie.

— Co to? Kamyk! W srebrnej folii? Jakaś karteczka?! — Paweł aż pokraśniał z podniecenia.

Ktoś pisał sylabami:

PRZY-BY-ŁEM Z KOS-MO-SU.
CHCĘ WIE-DZIEĆ, CO
SŁY-CHAĆ NA ZIE-MI.
KOS-MI-TA

— Kto to może być? Przecież wszyscy wyjechali! — Paweł szybko odpisał:

> Jak wyglądasz,
> Kosmito?
>
> Pragnę Cię poznać.
> Paweł

Owinął kamyk w kartkę i cisnął przez okno. Na odpowiedź długo nie czekał.

> JE-STEM ZIE-LO-NY.
> MAM ŻA-BIE ŁAP-KI.
> E.T.* TO MÓJ BRAT.
> A-LE CO TY RO-BISZ?

Sokole Oko uśmiechnął się blado... Napisał:

> Pogrążyłem się w
> Czarnym Jeziorze
> Smutku i Nudy.
> RATUNKU!
> Paweł

* E. T. — czytaj Ii Ti

Kartka z kamykiem znów wylądowała za oknem. Paweł pokuśtykał do parapetu, wyjrzał, ale kosmity nie było. Tylko gałęzie krzewów lekko się poruszały. Chłopiec śledził te ruchy na próżno. Położył się z powrotem. Czekał.

I znów list pacnął wprost na łóżko.

WY-SY-ŁAM NA PO-MOC PO-GO-TO-WIE RA-TUN-KO-WE!

Nie minęło kilka sekund i rozległ się przeciągły, pulsujący sygnał pogotowia. W mgnieniu oka jakaś postać wskoczyła przez okno i... Paweł poczuł, że jest boksowany lekkimi uderzeniami, pociągany to za ucho, to za nos, za włosy... Na próżno broni się i śmieje.

— O, śmiejesz się! — zawołał Dzięcioł. — Jesteś uratowany! Nie utoniesz w Czarnym Jeziorze.

— Te twoje „żabie łapki" nieźle szarpią, kosmito! — mówi Paweł, ocierając łzy i dusząc się od śmiechu.

Znów dzień nabrał kolorów. Zrobił się jasny i wesoły. Chłopcy wymyślali coraz to nowe rozrywki. Rzucali do celu z pozycji siedzącej, leżącej... Grali w szachy. Układali piosenki na ognisko... Czas upływał niepostrzeżenie...

— Mam przyjaciela! Mam przyjaciela! — radosna myśl kłębiła się w głowie Pawła, przejmowała go szczęściem.

Nagle spojrzał poważnie Przemkowi w oczy i powiedział:

— Pamiętaj, możesz na mnie liczyć, zawsze!

Stale roześmiany Dzięcioł tym razem spoważniał. Chłopcy czuli, że stało się coś ważnego.

Ognisko i... tajemnica zawodowa

Od pewnego czasu cała kolonia żyła przygotowaniami do ogniska, bo to i program trzeba przygotować, gałęzi i szyszek nazbierać, podkolanówki wyprać.

Wreszcie nadszedł upragniony wieczór. Szkielet ogniska ustawił pan Zbyszek, a chłopcy układali mniejsze gałęzie i szyszki. Na koniec wszyscy usadowili się półkolem.

Płomienie strzelały w górę, złociste iskry rozsypywały się i gasły. Gdy się wszyscy napatrzyli dowoli, a ogień przycichł, zaczęły się śpiewy. Hen, daleko niosły się po wieczornej rosie stare piosenki harcerskie, nowsze zuchowe, kolonijne... Śpiewali wychowawcy, wychowawczynie, dziewczynki, chłopcy, nawet las wtórował echem.

Paweł zasłuchał się, rozmarzył.

Nagle trąca go Dzięcioł:

— Czas na nasz występ!

A muszę tu dodać, że od przedstawienia z „pawianem" koledzy nie dawali im spokoju, ciągle naprzykrzali się i naprzykrzali. „Wymyślcie coś, przygotujcie jakiś fantastyczny numer!" — prosili.

Paweł zerwał się na równe nogi. Stanęli w kręgu światła bijącego od ognia. I oto Dzięcioł trzyma w rękach dwie grzechotki — puszki z drobnym żwirem... Paweł przełyka ślinę i mówi głośno:

— *Piosenka o dwóch takich...* na melodię *Krakowiaczek jeden...* z towarzyszeniem perkusji. Słowa własne.

Rozległ się szmer zainteresowania, a potem cisza jak makiem siał. Głos Pawła zabrzmiał czysto i dźwięcznie:

Dwaj chłopcy dostają wciąż kary, nagany,
bo jeden za żywy, we wrzątku kąpany.
Drugi za powolny, na końcu się wlecze —
jak z tobą wytrzymać, rozlazły człowiecze.

Aż pani kucharka mówi raz do niego:
— Wreszcie z tym jedzeniem pospiesz się, kolego!
Bo jak będziesz skubał tak wolno swą rację,
to ledwie z obiadu zdążysz na kolację!

Pani Hela pyta, jak się ruszał w szkole,
a on na to skromnie: — Tak jak mucha w smole.
W żłobku mi na deser ślimaki dawano,
a żółwiową zupę jadam nadal rano.

Aż pewnego razu, aż razu pewnego
ten, co jest za szybki, wpadł na powolnego...
Jejku, jejku, jejku, co się dalej działo,
jejku, jejku, jejku...

Paweł poczuł w głowie zamęt. — Co dalej? — myśli i patrzy na Dzięcioła rozpaczliwie.

— Wal od początku — szepcze Dzięcioł — to ci się zakończenie przypomni.

Paweł odśpiewał jeszcze raz całą piosenkę i znów utknął na: *Jejku, jejku, jejku...*

Paweł czuje, że robi mu się gorąco. Dzięcioł trzęsie puszką i sam się trzęsie podejrzanie. A wszyscy, podchwytując melodię, śpiewają wesoło:

Jejku, jejku, jejku,
co się dalej działo?

Rozlegają się brawa, śmiechy, ale Paweł nie traci ducha. Wiedziony jakimś teatralnym instynktem wie, że zejść z widowni jeszcze nie może. Do trzech razy sztuka — myśli. Albo mi się przypomni, albo jak cyrkowi klauni odegram zapominalskiego... Jestem twardy — mówi sobie z zawziętością. I zaczyna znów od początku. Teraz to już naprawdę bardzo, bardzo szybko, żeby minąć to krytyczne miejsce z „jejku — jejku!"

Paweł przy „jejku" na wszelki wypadek dotyka palcem czoła, klapka w pamięci tym razem się otwiera. Śpiewa więc, starając się przekrzyczeć śmiech:

Jak się ten powolny mocno zdenerwował,
przeskoczył prędkiego, miękko wylądował.

Tymczasem prawdziwa salwa śmiechu zagłusza ostatnie słowa chłopca. — Istny huragan śmiechu — myśli speszony Paweł. — Nie chcą się dowiedzieć, co było dalej, wolą się śmiać, proszę bardzo.

Ale co wyprawia ten Dzięcioł? Tarza się w trawie i wydaje dźwięki, jakby pies skowyczał. — Paweł się rozgląda. Dziewczynki płaczą ze śmiechu. O, pani Helena wyciąga chusteczkę... Pan Zbyszek klepie się po kolanach... Czyżby nowy sukces?

Chłopiec kłania się, ukradkiem ociera pot z czoła i z ulgą siada na swoje miejsce. A swoją drogą na przyszłość muszę tekst napisać i dać suflerowi na wszelki wypadek — postanawia w duchu.

W programie ogniska były jeszcze i wiersze, i piosenki, ale żaden występ nie spotkał się z tak żywą reakcją. Ba, jeszcze po kilku dniach na widok Pawła ten i ów łapał się za głowę i wołał: „Jejku, jejku, jejku". Ale Sokole Oko kwitował to pobłażliwym uśmiechem. — Ostatecznie to dzięki nam tak się wszyscy ubawili — myślał. Ale tak do końca nie byli chłopcy pewni swego.

Dopiero gdy pani Helenka zagadnęła: — No, Dzięcioł, Sokole Oko, powiedzcie mi, czy to powtarzanie było zaplanowane, czy tak samo się wam ułożyło... — chłopcy poczuli ulgę. Wprawdzie Paweł nie odpowiedział, lekko się tylko zaczerwienił, ale Dzięcioł za to zachował się jak dorosły aktor:

— Tajemnica zawodowa — rzekł i uśmiechnął się od ucha do ucha.

Żegnajcie, APACZE!

Tego roku czas na koloniach minął z szybkością kosmicznej rakiety. Wprost trudno było chłopcom uwierzyć, że za dwa dni rozstanie. Zanim zapanuje przedwyjazdowy rozgardiasz, trzeba spokojnie, uroczyście się pożegnać... Tak postanowili Apacze, tak też myślała ich opiekunka.

I oto znów siedzą wszyscy w braterskim kręgu na zielonej łące za boiskiem. Prawie miesiąc minął od historii o wodzu i jego synach... Piotrek uśmiecha się, bo właśnie przypomniał sobie, jak wówczas myślał, że wychowawczyni przyniosła kije, aby im spuścić lanie.

Tymczasem pani Helena patrzy na opalone buzie tak ciepło, tak serdecznie.

— No, chłopcy — powiada — każdy z was miał przynieść i pokazać swoją pamiątkę z kolonii.

Po kolei chłopcy wyciągają różne skarby: leśne dziady z szyszek i mchu, zbiory kolorowych kamyków, żołędziowe zwierzątka, łódki z kory, ramki z patyków... Przemek ma nawet zgrabnego dzięcioła z korzenia, który jak prawdziwy uczepił się kawałka kory i na niby dziobem stuka. Będzie mu przypominał wakacyjne przezwisko! Paweł trzyma na kolanach zeszyt zagryzmolony rymowankami, z których było tyle śmiechu. Obok położył łódeczkę z kory dla swojej siostry.

Pani wszystko ogląda, wszystkim się zachwyca. Apacze jak nigdy siedzą dzisiaj spokojnie, jakby pragnęli, aby spotkanie trwało jak najdłużej. Śpiewają ulubione piosenki. Wszyscy umieją na przykład krakowiaka O *dwóch takich*... Wspominają przygody.

Florek, jak się okazało świetny rzeźbiarz, kładzie przed panią zgrabny mały tomahawk z drewna z napisem „Od Apaczów" i z wyciętymi pierwszymi literami imion chłopców.

Na koniec wystąpili z kręgu: najstarszy Dzięcioł i najmłodszy Artek — i wygłosili w imieniu całego plemienia Apaczów podziękowanie za... za wszystko.

Artek rzucił się pani Helenie na szyję, a Przemek pocałował wychowawczynię w rękę. Wszystkim zwilgotniały oczy, a pani powiedziała:

— I ja wam, Apacze, dziękuję, wprawdzie było z wami trochę kłopotu, ale i dużo radości. Rośnijcie zdrowo, na pociechę waszym bliskim — i nie tylko...

Na pożegnanie huknęli wszyscy starą piosenkę, która jednak w kolonijnym plebiscycie zdobyła pierwsze miejsce.

Jak dobrze nam zdobywać góry
i młodą piersią wchłaniać wiatr...

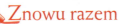

Znowu razem

— Sam przyjedzie? Zupełnie sam?

— On już tu był na działce, w zeszłym roku. Wujek w Warszawie odprowadzi go do autobusu, a potem już będzie jechał sam.

— Wysiądzie pewnie na tym przystanku na szosie?

— Tak, właśnie idę po niego.

— Pójdziemy z tobą.

— Chodźcie, będzie weselej.

Lidka i Marzena dołączyły do Magdy, która — przeniknięta radosną myślą: „Paweł wraca" — coraz to przyspieszała kroku.

Dziewczynki idą ścieżką wśród pustych pól. Po ściernisku kroczą dostojnie dwa bociany.

— O, jeden schwycił mysz — krzyknęła Lidka. — Taką malutką...

— Może to kot się przebrał za bociana — pisnęła Magda i w śmiech.

Rozglądając się i paplając zawędrowały do szosy. Pusto.

Pyk-pyk-pyk-pyk-pyk — przejechał traktor i znów cisza.

Powoli zaczęli schodzić się ludzie. Dwie kobiety z koszami usiadły na murawie. Pewnie wsiądą do autobusu — pomyślały dziewczynki.

Nagle na pustą szosę zza zakrętu wpadł autobus PKS. To zelektryzowało wszystkich.

Magda zerwała się z murawy, w mig przeskoczyła rów i stanęła koło słupka. Ach, żeby na pewno przyjechał... — myśli gorączkowo i serce zaczyna jej bić szybciej.

Autobus zwolnił, zatrzymał się. Wysiadło kilka osób...

— Jest! — krzyknęła Magda.

Lidka i Marzena spojrzały w stronę, w którą pobiegła Magda.

Oczom dziewczynek ukazał się wysoki, opalony chłopak w dżinsach, z kolorowym plecakiem w ręku. Magda, śmiejąc się, rzuciła mu się na szyję, a on opasał ją rękami i okręcił dookoła...

— Ale jesteś opalony! Ostatnio nic nie pisałeś, aż mama zaczęła się martwić o ciebie. Kiedy wróciłeś z kolonii? Co robiliście z wujkiem w domu?

Paweł zatkał uszy i zaczął się śmiać.

— Powoli, powoli... Och, ale ty urosłaś! Czarna nie jesteś,

pewnie się dużo moczycie w jeziorze. Ale stęskniłem się za porządną wodą! Na kolonii był tylko strumień.

— A to moje koleżanki z działek, o których ci pisałam.

— Paweł.

— Lidka.

— Marzena.

Dzieci podały sobie ręce. Potem weszły na wąską dróżkę wśród ściernisk i zaczęły iść gęsiego.

Paweł rozglądał się z ciekawością. Na pożółkłych łąkach gromadziły się bociany.

— Ile bocianów! — krzyknęła Magda. — Dopiero co widziałyśmy tylko dwa na ściernisku, a tam jest ich z osiem. Co one tak jedzą?

— Pasikoniki, krety, myszy, jaszczurki, różne chrząszcze — powiedział Paweł. — Muszą się wzmocnić przed daleką podróżą, przed odlotem do Afryki.

Magda pokraśniała. Jaki on mądry! — pomyślała z dumą.

— Do ciepłych krajów... — westchnęła.

— Widzicie, stale przylatują... Pamiętasz, Magdulińska, w zeszłym roku właśnie na tych łąkach wiecowały przed odlotem.

— To one naprawdę już odlecą? To znaczy koniec lata!

— Już czas na nie, druga połowa sierpnia — dodał Paweł.

Dzieciom zrobiło się smutno.

— Nie martwcie się, jeszcze potrenujemy pływanie, poczytamy książki, jeszcze całe siedem dni na działkach!

— Potem i my „odlecimy" — zawołała Magda i rozpostarłszy ramiona, wołając swoje *Juhuhuhuhuuuu*, pędem puściła się w stronę domków. Pragnęła pierwsza zanieść mamie radosną nowinę: Paweł przyjechał!

Pożegnanie wakacji

Rozstajemy się. Pozwólmy sobie na chwilę zastanowienia:

Najpierw Magda

— Zaprzyjaźniłam się z Anią. W zimie przyjedzie z mamą do nas w odwiedziny. (Zaprosiła je babcia.)

— Pomagałam w dziecińcu.

— Wiem już, kim będę, gdy dorosnę: badaczem przyrody!

— Urosłam 1 cm.

— Poznałam wszystkie rodzaje rebusów.

— Nauczyłam się jeździć na koniu (troszeczkę).

— Przeczytałam dwie książki: Travers *Mary Poppins* i Buyno-Arctowej *Kocią mamę*.

Potem Paweł

— Poznałem Przemka — Dzięcioła. Został moim serdecznym przyjacielem. Ponieważ on nie mieszka w Warszawie, będziemy pisać do siebie listy i się odwiedzać. Umówiliśmy się na zimowisko.

— Ubawiłem się, jak nigdy dotąd, urządzając przedstawienia. Były to moje najlepsze wakacje!

— Otrzymałem przydomek „Sokole Oko".

— Poprawiłem moje rekordy sportowe:

    bieg na 30 m — 8 sek
    skok w dal — 200 cm.

— Lepiej gram w kometkę i lepiej pływam.

— Przeczytałem dwie książki: Nienackiego *Pan Samochodzik i Winnetou* i Szklarskiego *Tomek na wojennej ścieżce*.

Co dobrego spotkało Ciebie w czasie wakacji?

. . . .
. . . .
. . . .
. . . .
. . . .
. . . .
. . . .
. . . .
. . . .
. . . .
. . . .
. . . .
. . . .
. . . .
. . . .
. . . .
. . . .
. . . .
. . . .
. . . .
. . . .
. . . .
. . . .
. . . .
. . . .

Twój wakacyjny obrazek

Wakacyjne adresy i notatki

Spis
treści

zieloną kredką
oznaczone są
strony tylko
dla Ciebie

Polska Literatura dla Dzieci
biblioteka pierwszych lektur

Drogi Czytelniku!

Zapraszamy Cię do korespondencyjnego zamawiania książek. Napisz do nas, a bezpłatnie otrzymasz aktualny katalog i cennik naszych publikacji. Siedmioróg jest największą w Polsce księgarnią wysyłkową książek dziecięcych i młodzieżowych.

Nasz adres: **Księgarnia Wysyłkowa Siedmioróg**
ul. Świątnicka 7, 52-018 Wrocław
www.siedmiorog.pl